RÉVOLUTION

© XO Éditions, 2016.
ISBN : 978-2-84563-966-9

Emmanuel
Macron

Révolution

Affronter la réalité du monde nous fera retrouver l'espérance.

D'aucuns pensent que notre pays est en déclin, que le pire est à venir, que notre civilisation s'efface. Que le repli ou la guerre civile constituent notre seul horizon. Pour se protéger des grandes transformations du monde, nous devrions remonter dans le temps et appliquer les recettes du siècle dernier.

D'autres imaginent que la France peut continuer de descendre en pente douce. Que le jeu de l'alternance politique suffira à nous faire respirer. Après la gauche, la droite. Les mêmes visages et les mêmes hommes, depuis tant d'années.

Je suis convaincu que les uns comme les autres ont tort. Ce sont leurs modèles, leurs recettes qui ont simplement échoué. Le pays, lui, dans son ensemble, n'a pas échoué. Il le sait confusément, il le sent. De là naît ce « divorce » entre le peuple et ses gouvernants.

Je suis convaincu que notre pays a la force, le ressort, l'envie d'avancer. Il a l'Histoire et le peuple pour le faire.

Nous sommes entrés dans une nouvelle ère. La mondialisation, le numérique, les inégalités croissantes, le péril climatique, les conflits géopolitiques et le terrorisme, l'effritement de l'Europe, la crise démocratique des sociétés occidentales, le doute qui s'installe au cœur de notre société : ce sont les symptômes d'un monde en plein bouleversement.

À cette grande transformation nous ne pouvons répondre avec les mêmes hommes, les mêmes idées. En imaginant que revenir en arrière serait possible. En pensant simplement réparer ou ajuster nos organisations et notre « modèle », comme certains aiment à l'appeler, alors que personne, et au fond pas même nous, ne désire plus s'en inspirer.

Nous ne pouvons pas non plus demander aux Français de faire des efforts sans fin en leur promettant la sortie d'une crise qui n'en est pas une. De cette attitude indéfiniment reprise depuis trente ans par nos dirigeants viennent la lassitude, l'incrédulité et même le dégoût.

Nous devons regarder ensemble la vérité en face, débattre des grandes transformations à l'œuvre. Où nous devons aller et par quels chemins. Le temps que ce voyage prendra. Car tout cela ne se fera pas en un jour.

Les Français sont plus conscients des nouvelles exigences du temps que leurs dirigeants. Ils sont moins conformistes, moins attachés à ces idées toutes faites qui assurent le confort intellectuel d'une vie politique.

Nous devons tous sortir de nos habitudes. L'État, les responsables politiques, les hauts fonctionnaires, les dirigeants économiques, les syndicats, les corps intermédiaires. C'est notre responsabilité et ce serait une faute que de nous dérober ou même de nous accommoder du statu quo.

Nous nous sommes habitués à un monde qui nous inquiète. Qu'au fond nous ne voulons pas nommer ni regarder en face. Alors on se plaint, on râle. Des drames arrivent. Du désespoir aussi. La peur s'installe. On en joue. On veut le changement, mais sans vraiment le vouloir.

Si nous voulons avancer, faire réussir notre pays et construire une prospérité du XXIe siècle dans le droit fil de notre Histoire, il nous faut agir. Car la solution est en nous. Elle ne dépend pas d'une liste de propositions qui ne se feront pas. Elle ne saurait émerger de la construction de compromis bancals. Elle se fera grâce à des solutions différentes qui supposent une révolution démocratique profonde. Elle prendra du temps. Elle ne dépend que d'une chose : notre unité, notre courage, notre volonté commune.

C'est cette révolution démocratique à laquelle je crois. Celle par laquelle, en France et en Europe, nous conduirons ensemble notre propre révolution plutôt que de la subir.

C'est cette révolution démocratique que j'ai entrepris de dessiner dans les pages qui suivent. On n'y trouvera pas de programme, et aucune de ces mille propositions qui font ressembler notre vie politique à un catalogue d'espoirs déçus. Mais plutôt une vision, un récit, une volonté.

Car les Français, eux, ont une volonté, souvent négligée par leurs gouvernants. C'est cette volonté que je veux servir. Car je n'ai pas d'autre désir que d'être utile à mon pays. C'est pourquoi j'ai décidé de me porter candidat à l'élection du président de la République française.

Je mesure l'exigence de la charge. Je sais la gravité de notre époque. Mais aucun autre choix ne me paraît plus honorable, parce qu'il est à l'unisson de celui que vous voulez faire, celui d'une France à rebâtir, retrouvant dans cette action notre énergie et notre fierté. Celui d'une France entreprenante et ambitieuse.

Je suis intimement convaincu que le XXIe siècle, dans lequel enfin nous entrons, est aussi plein de promesses, de changements qui peuvent nous rendre plus heureux.

C'est cela que je vous propose.

Ce sera notre combat pour la France et je n'en connais pas de plus beau.

Chapitre I

Ce que je suis

Au moment d'engager cette aventure, je me dois de vous dire d'où je viens et ce que je crois. La vie publique ne permet pas véritablement de s'expliquer. J'ai trente-huit ans. Rien ne me prédestinait aux fonctions que j'ai occupées comme ministre de l'Économie, ni à l'engagement politique qui est le mien aujourd'hui. Je ne saurais vraiment expliquer ce parcours. J'y vois juste le résultat, qui n'est au fond jamais définitivement acquis, d'un engagement déjà ancien, d'un goût sans partage pour la liberté, d'une chance aussi, sûrement.

Je suis né en décembre 1977 à Amiens, capitale de la Picardie, dans une famille de médecins hospitaliers. Cette famille avait accédé récemment à la bourgeoisie, s'élevant, comme on disait autrefois, par le travail et par le talent. Mes grands-parents étaient enseignant, cheminot, assistante sociale et ingénieur des ponts et chaussées. Tous venaient de milieux modestes. L'histoire de ma famille est celle d'une ascension républicaine dans la province française, entre les Hautes-Pyrénées et la Picardie.

Cette ascension passait par le savoir et, plus précisément, pour la dernière génération, par la médecine. C'était pour mes grands-parents une voie royale et ils voulaient y pousser leurs enfants. Mes parents, et aujourd'hui mon frère et ma sœur, sont ainsi devenus médecins. Je suis le seul à n'avoir pas emprunté ce chemin. En aucun cas par aversion de la médecine, car j'ai toujours eu le goût des sciences.

Mais, à l'heure où l'on choisit sa vie, je voulais un monde, une aventure qui me soient propres. D'aussi loin qu'il m'en souvienne, j'ai toujours eu cette volonté-là : choisir ma vie. J'ai eu la chance d'avoir des parents qui, s'ils m'encourageaient à travailler, voyaient l'éducation comme un apprentissage de la liberté. Ils ne m'ont rien imposé. Ils m'ont permis de devenir celui que j'avais à être.

J'ai donc choisi ma vie, comme si, à chaque étape, je découvrais une évidence. Les choses n'étaient pas toujours faciles, mais elles étaient simples. Il m'a fallu beaucoup travailler, mais j'en avais le goût. J'ai connu des échecs, parfois cuisants, mais je ne me suis pas laissé détourner, parce que j'avais choisi. C'est dans ces années d'apprentissage que s'est forgée chez moi cette conviction que rien n'est plus précieux que la libre disposition de soi-même, la poursuite du projet que l'on se fixe, la réalisation de son talent, quel qu'il soit. Et ce talent, chacun l'a en lui. Cette conviction, par la suite, a déterminé mon engagement politique, en me rendant sensible à l'injustice d'une société d'ordres, de statuts, de castes, de mépris social où tout conspire – et pour quel résultat! – à empêcher l'épanouissement personnel.

Ma grand-mère m'a appris à travailler. Dès l'âge de cinq ans, une fois l'école terminée, c'est auprès d'elle que je passais de longues heures à apprendre la grammaire, l'histoire, la géographie… Et à lire. J'ai passé des jours entiers à lire à voix haute auprès d'elle. Molière et Racine, George Duhamel, auteur un peu oublié et qu'elle aimait, Mauriac et Giono. Elle partageait avec mes parents le goût des études, et mon enfance fut rythmée par son attente inquiète de mon retour du moindre examen.

Mon luxe fut celui-là et il n'a pas de prix. J'avais une famille qui s'inquiétait de moi, pour laquelle rien ne comptait, à certains moments, que cet examen, cette page d'écriture, et qui en exprimait le souci avec ces mots que chante Léo Ferré dans une chanson qui ne cesse de m'émouvoir: « *Ne rentre pas trop tard, surtout ne prends pas froid.* »

Ces mots ont bercé mon enfance et ils renferment une part de ce qui est plus important que tout: la tendresse, la confiance, le désir de bien faire. Nombreux sont ceux qui n'ont pas eu la chance que j'ai eue. Ce qu'on en fait ensuite, bien sûr, c'est autre chose. Mais là encore, je ne peux pas aujourd'hui réfléchir à l'école républicaine sans me souvenir de cette famille dont les valeurs étaient si profondément accordées à l'enseignement de ses maîtres, ni de ces enseignants dont c'était l'honneur de suppléer à toutes les carences pour emmener leurs élèves vers le meilleur. De cette tension, de cette volonté, de cet amour, peu de pays sont capables et nous devons à chaque génération veiller à ce que cette flamme ne s'éteigne pas.

Ainsi ai-je passé mon enfance dans les livres, un peu hors du monde. C'était une vie immobile, dans une ville de la province française ; une vie heureuse, à lire et à écrire. Je vivais largement par les textes et par les mots. Les choses prenaient de l'épaisseur lorsqu'elles étaient décrites, et parfois plus de réalité que la réalité même. Le cours secret, intime, de la littérature prenait l'ascendant sur les apparences, donnant au monde toute sa profondeur, que dans l'ordinaire des jours l'on ne fait qu'effleurer. La vraie vie n'est pas absente quand on lit. Je ne voyageais alors qu'en esprit. Je connaissais la nature, les fleurs et les arbres, par le style des écrivains et plus encore par l'envoûtement qu'il faisait naître. J'ai appris chez Colette ce qu'est un chat, ou une fleur, et chez Giono le vent froid de la Provence et la vérité des caractères. Gide et Cocteau étaient mes compagnons irremplaçables. Je vivais dans une réclusion heureuse entre mes parents, mes frères et sœurs et mes grands-parents.

Pour mes parents, les études étaient essentielles. Ils m'ont toujours entouré de cette attention extrême, me laissant faire mes choix et construire ma liberté.

Pour ma grand-mère, la littérature, la philosophie et les grands auteurs étaient plus que tout. Les études lui avaient permis de changer sa vie. Elle était née dans une famille modeste de Bagnères-de-Bigorre, d'un père chef de gare et d'une mère femme de ménage. Elle avait été la seule enfant de la famille à poursuivre des études au-delà du brevet, là où sa sœur et son frère durent rejoindre le monde du travail. Sa mère ne savait pas lire. Son père lisait mal et sans comprendre les nuances. Elle me racontait un souvenir de classe où, revenant, en cinquième, avec un bulletin mentionnant « *bonne élève à tous égards* », son père avait cru y voir la dénonciation de mœurs légères et l'avait giflée. Puis, en terminale, elle avait croisé un professeur de philosophie qui avait su la distinguer. Il l'avait poussée à poursuivre des études de lettres par correspondance, pour décrocher, quelques années avant la guerre, le diplôme qui lui permettrait d'enseigner à Nevers, emmenant avec elle sa mère, qui était ce qu'on appelle aujourd'hui une « femme battue », et qu'elle ne quitterait plus jusqu'à la fin.

Ma grand-mère était une enseignante, et je voudrais en l'écrivant débarrasser ce mot de sa poussière administrative, pour lui rendre l'éclat d'une passion vive, vécue avec un dévouement, une patience admirables. Je me souviens des lettres de ses anciennes élèves, de leurs visites. Elle leur avait montré ce chemin où l'on passe du savoir à la liberté. Ce n'était pas d'ailleurs un chemin de ronces : après les cours, on buvait du chocolat chaud en écoutant Chopin, en découvrant Giraudoux. Ma grand-mère venait du même milieu que ses élèves, filles d'artisans ou d'agriculteurs de Picardie. Elle les conduisait par les étapes qu'elle avait connues, et leur ouvrait la porte de la connaissance, du beau, peut-être de l'infini.

Il y avait alors, dans les familles, beaucoup de préjugés à combattre. Rien ne la décourageait, parce que son tempérament était optimiste, sans doute, mais surtout parce qu'elle savait, pour l'avoir éprouvé personnellement, que ce qu'elle voulait transmettre était le meilleur de ce qu'on nomme une civilisation, et que c'était notre honneur collectif de ne pas supporter que les filles en fussent privées.

J'aurai peut-être été son dernier élève. À présent qu'elle n'est plus, il n'est pas de jour où je ne pense à elle et où je ne cherche son regard. Non que je veuille y trouver une approbation qu'elle ne peut plus me donner, mais parce que j'aimerais, dans le travail que j'ai à faire, me montrer digne de son enseignement. J'y ai souvent pensé, ces dernières années, à propos de jeunes musulmanes voilées, à l'école ou à l'université. Il me semble qu'elle aurait déploré que la pression de l'obscurantisme empêche ces jeunes filles d'accéder au vrai savoir, celui qui est libre et personnel. Mais parce qu'elle avait voué sa vie à l'éducation des filles, et avait pu mesurer combien celle-ci n'allait pas de soi, même dans un pays comme le nôtre, je crois qu'elle aurait déploré que nous ne puissions rien trouver de mieux que l'interdiction, l'affrontement, toute cette hostilité si contraire dans sa nature à ce qu'il faut faire entrevoir. En ce domaine, on ne fait rien de bien sans amour.

Et j'ai eu cette chance. Je me souviens de son visage. De sa voix. Je me souviens de ses souvenirs. De sa liberté. De son exigence.

De ces matins tôt où j'allais la rejoindre dans sa chambre et où elle racontait ses anecdotes de guerre, ses amitiés. Enfant, je reprenais chaque jour le fil de la discussion interrompue et je voyageais dans sa vie comme on reprend un roman. Et l'odeur du café qu'elle allait préparer parfois dès le milieu de la nuit. Et la porte de ma chambre entrouverte dès sept heures le matin lorsque je n'étais pas encore venu la rejoindre, s'exclamant avec une inquiétude feinte : « *Tu dors encore ?* » De tout ce que je ne veux pas écrire et qui nous lie indéfectiblement.

Avec mes parents, les discussions tournaient aussi autour des livres. C'est auprès d'eux qu'une autre littérature, plus philosophique et contemporaine, me fut révélée. Les discussions médicales aussi où, durant des heures, la vie de l'hôpital, l'évolution des pratiques et des recherches, faisaient l'objet de polémiques incessantes. Quelques années plus tard, mon frère Laurent, devenu cardiologue, et ma sœur Estelle, devenant néphrologue, prendraient le relais.

Au fond, de ces années, j'ai appris l'effort, le désir de savoir pour trouver la liberté. Si, depuis, j'ai découvert le plaisir de l'activité trépidante et les responsabilités, je sais le bonheur de cette vie immobile loin du fracas des hommes. Ce sont des racines qui protègent. Et qui, je crois, rendent sage.

Je n'avais que deux autres horizons : le piano et le théâtre. Le piano, ce fut une passion d'enfance qui ne m'a jamais quitté.

Le théâtre, je le découvris à l'adolescence. Ce fut comme une révélation. Dire sur une scène ce que nous avions tant et tant lu avec ma grand-mère, écouter les autres jouer, créer ensemble un moment qui prend corps, fait rire, émeut.

C'est au lycée, par le théâtre, que j'ai rencontré Brigitte. C'est subrepticement que les choses se sont faites et que je suis tombé amoureux. Par une complicité intellectuelle qui devint jour après jour une proximité sensible. Puis, sans qu'aucun ne lutte, une passion qui dure encore.

J'allais chaque vendredi écrire avec elle pendant plusieurs heures une pièce de théâtre. Cela dura des mois. La pièce écrite, nous décidions de la mettre en scène ensemble. Nous nous parlions de tout. L'écriture devint un prétexte. Et je découvrais que nous nous étions toujours connus.

Après quelques années j'avais réussi à mener la vie que je voulais. Nous étions deux, inséparables, malgré les vents contraires.

À seize ans j'ai quitté ma province pour Paris. Cette transhumance, nombre de jeunes Français la font. C'était pour moi la plus belle des aventures. Je venais habiter des lieux qui n'existaient que dans les romans, j'empruntais les chemins des personnages de Flaubert, Hugo. J'étais porté par l'ambition dévorante des jeunes loups de Balzac.

J'ai aimé ces années en haut de la montagne Sainte-Geneviève.

Jour après jour, je n'ai cessé d'apprendre. Mais, je dois bien le dire, là où à Amiens j'étais en tête de classe année après année, je ne m'illustrais plus véritablement. J'ai découvert autour de moi des talents inédits, de vrais génies des mathématiques, alors que j'étais bien davantage un laborieux. Je dois avouer également que ces premières années parisiennes furent celles durant lesquelles je choisis de vivre et d'aimer plutôt que de me livrer à la compétition entre étudiants.

J'avais une obsession, une idée fixe : vivre la vie que j'avais choisie avec celle que j'aimais. Tout faire pour conquérir cela.

Les portes de l'École normale supérieure me restaient fermées et j'entrais par conviction en philosophie à Nanterre et, par le plus grand des hasards, à Sciences Po.

Ces années furent heureuses, constamment animées par l'apprentissage libre, la découverte, les rencontres. J'ai aimé ces lieux comme ceux qui m'ont tant appris. Ma chance fut alors, grâce à la bienveillance de celui qui fut mon professeur d'histoire et son biographe patient, de rencontrer le philosophe

Paul Ricœur. Rencontre fortuite presque, alors qu'il cherchait quelqu'un pour archiver ses documents.

Je n'oublierai jamais nos premières heures passées ensemble aux Murs Blancs à Châtenay-Malabry. Je l'écoutais. Je n'étais pas intimidé. C'était, je dois l'avouer, à cause de ma complète ignorance : Ricœur ne m'impressionnait pas, puisque je ne l'avais pas lu. La nuit tombait, nous n'allumions pas la lumière. Nous restions à parler dans une complicité qui avait commencé à s'installer.

Dès ce soir-là commença une relation unique où je travaillais, commentais ses textes, accompagnais ses lectures. Durant plus de deux années, j'ai appris à ses côtés. Je n'avais aucun titre pour jouer ce rôle. Sa confiance m'a obligé à grandir. Grâce à lui, j'ai lu et appris chaque jour. Il concevait son travail comme la lecture continue des grands textes, lui qui se comparait si souvent à un nain sur l'épaule des géants. Olivier Mongin, François Dosse, Catherine Goldenstein et Thérèse Duflot furent les présences amicales et vigilantes de ces années qui m'ont profondément transformé.

Aux côtés de Ricœur, j'ai appris le siècle précédent et appris à penser l'Histoire. Il m'a enseigné la gravité avec laquelle on doit appréhender certains sujets et certains moments tragiques. Il m'a appris comment penser par les textes au contact de la vie. Dans un va-et-vient constant entre la théorie et le réel. Paul Ricœur vivait dans les textes, mais avec cette volonté d'éclairer le cours du monde, de construire un sens pour le quotidien. Ne jamais céder à la facilité des émotions ou de ce qui se dit. Ne jamais s'enfermer dans une théorie qui ne se confronte pas avec les choses de la vie. C'est dans ce déséquilibre permanent, mais fécond, que la pensée peut se construire et que la transformation politique peut se faire.

On est ce que l'on apprend à être aux côtés de ses maîtres. Ce compagnonnage intellectuel m'a transformé. C'était cela Ricœur. Une exigence critique, une obsession du réel et une confiance en l'autre. J'ai eu cette chance et je la sais.

Durant ces années, je me suis forgé la conviction que ce qui m'animait n'était pas simplement d'étudier, de lire ou de comprendre. Mais bien d'agir et de tenter de changer concrètement les choses. Je m'orientai donc vers le droit, l'économie. C'est alors que j'ai choisi l'action publique. Aux côtés de quelques amis restés chers, qui aujourd'hui encore m'accompagnent, je préparai le concours de l'École nationale d'administration.

J'intégrai cette école et aussitôt fus envoyé durant un an en stage en administration. C'est là que l'expérience première s'acquiert et, en pratique, que les fonctionnaires commencent à se former.

J'ai aimé cette année de stage et cet apprentissage. Je n'ai jamais plaidé pour la suppression de l'ENA. Ce qui pèche dans notre système, c'est bien plutôt la carrière des hauts fonctionnaires, trop protégés alors que le reste du monde vit dans le changement.

Je commençai donc à servir l'État à l'ambassade de France au Nigeria. Six mois durant lesquels j'eus la chance de travailler auprès de Jean-Marc Simon, un ambassadeur remarquable. Je fus ensuite nommé à la préfecture de l'Oise. C'est une autre facette de l'État qu'il me fut donné de découvrir. L'État sur le territoire, les élus locaux, l'action publique. J'ai vécu avec beaucoup d'enthousiasme tous ces mois et j'y ai forgé de solides amitiés qui durent encore, au premier rang desquelles Michel Jau.

C'est à ce moment-là que je rencontrai Henry Hermand qui allait beaucoup compter pour moi, et qui vient de nous quitter. Dès le début, notre relation fut à la fois une filiation amicale et la passion commune pour l'engagement politique. Cet homme exceptionnel avait non seulement été un entrepreneur à succès, mais aussi un compagnon de route du progressisme français durant des décennies. C'est lui qui me présenta Michel Rocard.

Ils ont disparu à quelques mois d'intervalle en cette année 2016. Pendant ces quinze années, je n'ai cessé de voir l'un et l'autre. Pour des moments intimes. Pour des discussions personnelles et politiques. En dehors même de l'âge, de l'expérience et des fonctions exercées, Michel Rocard et moi étions très différents. Il avait plus que moi une culture de parti, une volonté de changer ce dernier à toute force. Son exigence intellectuelle, sa détermination et son amitié m'ont profondément marqué. C'est lui, le premier, qui imprima en moi ce souci du monde ; qu'il s'agisse des grands sujets internationaux dans leur profondeur historique ou de la cause climatique qui fut son combat de trente ans jusqu'à la défense des pôles.

La scolarité à l'ENA fut pour moi une période inattendue. Je n'avais pas véritablement de vocation ni de repères. Mon classement fut donc une heureuse surprise qui me permit de choisir. L'inspection des finances fut la découverte d'un nouveau continent. C'était un continent administratif, bien sûr, mais il avait pour moi les charmes de la nouveauté. Durant quatre ans et demi, j'appris la rigueur de la vérification, la richesse des déplacements sur le terrain. L'intimité de l'action publique, le compagnonnage d'un travail qui se mène à plusieurs.

J'ai pu sillonner ainsi le territoire et passer des semaines entières entre Troyes, Toulouse, Nancy, Saint-Laurent-du-Maroni et Rennes. Moments de camaraderie où l'on apprend à analyser, à décortiquer les mécanismes multiples qui font la vie de l'État et de ses agents.

C'est à ce moment que je devins rapporteur général adjoint de la Commission pour la libération de la croissance française que présidait Jacques Attali. Durant six mois, j'ai eu la chance de pouvoir travailler à ses côtés au milieu d'une commission de quarante membres dont nombre d'entre eux devinrent des amis. Cette commission fut pour moi l'occasion à la fois, de rencontrer des femmes et des hommes hors du commun – intellectuels, fonctionnaires et entrepreneurs qui font la France –, d'apprendre d'eux, mais aussi de m'ouvrir à des sujets multiples que je n'ai ensuite jamais quittés.

Après ces années, j'ai choisi de quitter le « Service », comme on l'appelle, et de rejoindre le secteur privé et l'entreprise.

Je voulais en apprendre la grammaire, me confronter aux enjeux internationaux tout en sachant qu'un jour je reviendrais vers la chose publique. Durant toutes ces années, je m'étais toujours intéressé à la politique. À la revue *Esprit*, en fréquentant pendant un temps les proches de Jean-Pierre Chevènement, puis en passant, de manière certes éphémère, dans un Parti socialiste où je ne me retrouvais pas. En arpentant les terres du Pas-de-Calais où nous avions, avec le temps, construit nos attaches.

Ainsi ai-je quitté le secteur public pour rejoindre la banque d'affaires Rothschild. Tout y était neuf pour moi. Durant plusieurs mois je découvris les méthodes, la technique, auprès de plus jeunes et de plus rompus à l'exercice. Puis, guidé par des banquiers expérimentés, j'appris ce métier étrange, fait de capacité à comprendre un secteur économique et ses enjeux industriels, à convaincre un dirigeant dans ses choix stratégiques, puis à l'accompagner dans l'exécution de ceux-ci au milieu d'une kyrielle de techniciens. Durant des années, j'ai découvert le commerce, sa force considérable, mais surtout j'ai beaucoup appris du monde.

Je ne partage ni l'exaltation de ceux qui vantent cette vie comme l'horizon indépassable de notre temps, ni l'amertume critique de ceux qui y voient la lèpre de l'argent et l'exploitation de l'homme par l'homme. L'une et l'autre de ces vues me paraissent marquées d'un romantisme juvénile hors de saison.

J'ai passé beaucoup de temps avec des collègues d'exception. David de Rothschild a su en effet, avec intelligence et élégance, rassembler autour de lui des talents et des personnalités qui normalement ne pourraient travailler ensemble. Car ce métier n'est pas de manier de l'argent. Il ne s'agit ni de prêter ni de spéculer. C'est un métier de conseil où ce qui a de la valeur, ce sont les hommes.

De ces quatre années passées dans la banque, je ne regrette rien. Elles m'ont été largement reprochées, puisque ceux qui ne connaissent pas cet univers ont le fantasme de ce qui s'y trame. J'y ai appris un métier ; tous les responsables politiques devraient en avoir un. J'y ai découvert plusieurs secteurs, et de nombreux pays, ce qui m'a servi depuis. J'y ai fréquenté des hommes de décision, ce qui apprend toujours. J'y ai bien gagné ma vie, sans avoir fait une fortune qui me dispenserait de travailler.

En 2012, j'ai choisi, par conviction, de quitter cette banque pour retrouver le service de l'État. J'avais depuis deux ans décidé de m'engager pour préparer le programme et les idées de la gauche réformiste en matière économique, à la demande de François Hollande. Après son élection, lorsque le président de la République m'en fit la proposition, je rejoignais l'Élysée. J'ai alors servi durant deux années auprès de François Hollande comme Secrétaire général adjoint, m'occupant des sujets de la zone euro et de l'économie.

De ces années – parce que c'est l'idée que je me fais du service de l'État – je n'ai pas à dire grand-chose. Les conseils appartiennent à celui à qui on les prodigue. J'en ai, je l'espère, donné de bons, suivis ou pas ; j'en ai sans aucun doute prodigué de mauvais. J'assume tout. Et tout ne fut pas bien fait. Je demandai à être libéré de mes fonctions deux ans plus tard. J'ai quitté l'Élysée en juillet 2014.

Je n'ai pas sollicité de poste politique, de responsabilités dans une grande entreprise ou dans l'administration, comme c'est souvent l'usage. Je préférais, comme on dit, me mettre à mon compte, entreprendre et enseigner. Je ne prévoyais pas de revenir. Pleine de zèle, une commission dite de « déontologie » m'avait d'ailleurs pratiquement interdit de revoir le président de la République. Ces excès font sourire à proportion de leur irréalisme. Ils m'étaient indifférents. J'allais sur une autre voie. Et puis j'ai été rappelé par le président, pour devenir ministre de l'Économie, de l'industrie et du numérique.

Le reste appartient davantage au domaine public. J'ai tenté d'agir et j'ai été soutenu. J'ai passé des centaines d'heures au Parlement, afin de conduire une loi que je crois utile. Une loi pour lever des blocages, ouvrir des accès, soutenir l'activité, redonner du pouvoir d'achat, créer des emplois.

J'ai voulu dessiner une politique industrielle ambitieuse, reposant sur l'innovation et l'investissement. Après des années d'affaiblissement, notre priorité a été de défendre notre industrie avec énergie et passion, en permettant des redressements spectaculaires, comme PSA ou les Chantiers de l'Atlantique. J'ai souhaité conduire une politique de « volontarisme lucide » menant sans faille les combats utiles à notre industrie et à notre souveraineté économique, qu'il s'agisse de restructurations difficiles comme dans le nucléaire ou le parapétrolier, ou dans la défense de l'acier français. Je ne me suis pour autant jamais leurré sur les limites de l'interventionnisme public face à des situations désespérées. Et j'ai aussi eu des échecs que je reconnais avec tristesse. Avec le soutien à l'investissement, la mobilisation de nos industriels autour de solutions concrètes et le développement de la « *French tech* », j'ai souhaité préparer l'industrie de demain. Car un vent nouveau souffle aussi en ce domaine sur notre pays.

Puis vint le temps des blocages et des désaccords.

Après les attentats de l'automne 2015, la renonciation à une stratégie indispensable pour saisir les nouvelles opportunités économiques dans notre pays, l'absence de véritable volonté réformiste et d'une plus grande ambition européenne et le choix d'un débat stérile autour de la déchéance de nationalité – débat qui divisait le pays sans apporter de réponse à ce qui venait de se produire – me sont apparus comme des erreurs, voire parfois de véritables fautes politiques. Alors que la crise et la désespérance sociale nourrissaient l'extrémisme et la violence, au moment où nos voisins ont su trouver les solutions pour réduire durablement le chômage, le véritable état d'urgence à déclarer était à mes yeux économique et social.

Je n'ai pas dissimulé ces désaccords. Quant à mon action de ministre, elle était entravée par l'effet cumulé des erreurs d'analyse, des incompétences techniques et des arrière-pensées personnelles. J'ai décidé de prendre une initiative politique en lançant le mouvement *En Marche !* le 6 avril 2016 à Amiens, ma ville de naissance. Quelles qu'aient été les entraves rencontrées dans mon action, cette initiative ne s'est pourtant jamais construite «contre», mais « pour ». *« Le contre n'existe pas »*, disait justement Malraux. Je suis un homme du «pour». Pour tenter de dépasser les clivages politiques dont j'avais mesuré les conséquences négatives, pour essayer d'aller plus loin dans la nécessaire refondation du pays. Pour construire un projet, renouer le fil de notre Histoire et la dynamique du progrès, pour que nos enfants vivent mieux que nos parents. Pour saisir l'envie d'engagement qui irrigue la société française, pour faire émerger de nouveaux visages, de nouveaux talents.

Durant les mois qui suivirent, l'évidence s'imposa : je devais quitter le Gouvernement. C'était la cohérence même, ce que je devais à ma conception des choses, à celles et ceux qui me suivaient, à l'idée que je me fais de notre pays.

Je dirai un mot du grand air de la trahison qu'on a chanté contre moi, un mot, pas davantage. Ce qui le sous-tend me paraît révélateur de la crise morale de la politique contemporaine. Car lorsqu'on dit que j'aurais dû obéir au président comme une machine, renoncer à mes idées, enchaîner à son destin la réalisation de ce que je crois juste, simplement parce qu'il m'avait nommé ministre, que dit-on ? Que l'idée du bien public doit s'effacer devant celle du service rendu. J'ai été frappé de voir avec quelle ingénuité ceux qui voulaient m'accabler ont ainsi avoué que pour eux, la politique obéissait au fond à la règle du milieu : de la soumission, dans l'espoir d'une récompense personnelle. Je crois que lorsque les Français se détournent de la politique ou se portent aux extrêmes, c'est par un instinctif dégoût de ces habitudes-là.

Je mets sur le compte de la distraction les propos tenus par le président de la République sur la dette que j'aurais eue à son égard. Je le sais trop attaché à la dignité des fonctions publiques et aux valeurs fondatrices de la vie politique républicaine, pour avoir adhéré, ne fût-ce qu'un instant, à cette conception délétère des petits arrangements entre obligés. C'est aussi la raison pour laquelle, sans que le respect m'ait quitté, j'ai pris congé de lui avec tristesse. Il m'avait donné l'occasion de servir mon pays, auprès de lui, ensuite comme membre du Gouvernement.

C'est à mon pays seul que va mon allégeance, non à un parti, à une fonction ou à un homme. Je n'ai accepté les fonctions que j'ai eues que parce qu'elles me permettaient de servir mon pays. Je l'ai dit au premier jour et je n'ai pas varié ensuite. Lorsque les obstacles mis sur ma route, l'absence de renouvellement des idées et des hommes, le manque terrible d'imagination, l'engourdissement général, m'ont montré qu'aucune action utile n'était plus possible, j'en ai tiré les conséquences en démissionnant. Ma conception de l'action publique, ce n'est ni celle de la gestion de carrière ni celle du ticket dans la file. C'est celle de l'engagement partagé, fondé sur le service. Rien d'autre ne compte à mes yeux, et surtout pas les critiques, ou les calomnies, de ceux dont la loyauté va, non à leur pays, mais à un système dont ils ont parfaitement compris tout ce que le fonctionnement pouvait leur assurer d'avantages et de prébendes. Nous y voilà.

Durant toutes ces années, Brigitte a partagé ma vie. Nous nous sommes mariés en 2007. Cela fut la consécration officielle d'un amour d'abord clandestin, souvent caché, incompris de beaucoup avant de s'imposer à eux.

J'ai été, sans doute, opiniâtre. Pour lutter contre les circonstances de nos vies qui avaient tout pour nous éloigner. Pour m'opposer à l'ordre des choses qui, dès la première seconde, nous condamnait. Mais je dois dire que le vrai courage, ce fut le sien. La détermination généreuse et patiente, ce fut la sienne.

Elle avait alors trois enfants et un mari. De mon côté, j'étais élève et rien de plus. Elle ne m'a pas aimé pour ce que j'avais. Pour une situation. Pour le confort ou la sécurité que j'apportais. Elle a renoncé à tout cela pour moi. Mais elle l'a fait avec un souci constant de ses enfants. En n'imposant jamais rien, mais en faisant comprendre, avec douceur, que l'impensable pouvait s'imposer.

Ce n'est que bien plus tard que j'ai compris que sa volonté de rassembler nos vies était la condition de notre bonheur. Grâce à elle, ses enfants ont, je crois, peu à peu compris et accepté. Nous avons, tout au moins je l'espère, construit une autre famille. Un peu à part, certes différente. Mais où la force de ce qui nous lie est plus invincible encore.

J'ai toujours admiré chez elle cet engagement et ce courage.

Comme enseignante de français et de latin d'abord. Elle n'a jamais cessé d'exercer, avec une exigence bienveillante, ce métier découvert à trente ans et qu'elle aime plus que tout. Je l'ai vue passer tant d'heures avec les adolescents en difficulté. Parce qu'elle a cette sensibilité inquiète qui comprend leurs fêlures. Parce que derrière l'entrain décidé, il y a un continent sensible auquel seuls les fragiles ont accès et où ils peuvent se retrouver.

Comme mère ensuite, elle a eu la même détermination aimante. Elle a accompagné chacun de ses enfants dans leurs vies et dans les études. Toujours présente mais avec une idée ferme de ce qu'elle attendait d'eux. Il n'est pas une journée sans que Sébastien, Laurence et Tiphaine ne l'appellent, la voient, la consultent. Elle est leur boussole.

Progressivement, ma vie s'est ainsi remplie de ses trois enfants, de leurs conjoints, Christelle, Guillaume et Antoine et de nos sept petits-enfants : Emma, Thomas, Camille, Paul, Élise, Alice et Aurèle. C'est pour eux que nous nous battons. Je ne leur donne pas suffisamment de temps et ces années sont à leurs yeux des années volées. C'est aussi cela qui m'interdit de les gaspiller. Notre famille, c'est mon socle de vie, mon rocher. Notre Histoire nous a inculqué une volonté tenace de ne rien céder au conformisme, lorsque l'on croit avec force et sincérité.

Chapitre II

Ce que je crois

Voilà, en quelques pages, à quoi se résume ma vie, du moins celle dont il est juste de parler lorsqu'on s'engage en politique. J'ai dû parfois expliquer mon parcours, perçu comme celui d'un ambitieux, d'un homme pressé. Je ne le vois pas ainsi. J'ai seulement, assez jeune encore, réalisé ce que je devais à d'autres que moi, non seulement à mes parents, mes grands-parents ou à mes maîtres, mais à cette succession de générations qui nous a laissé, au prix de grandes épreuves, l'amour de la liberté.

Je sais ma dette à l'égard de ceux qui m'ont fait confiance.

Je sais surtout, et avant tout, ma dette à notre pays. C'est le sentiment de cette dette qui me pousse à l'action.

Alors oui, en faisant cela, j'ai décidé de ne payer aucun tribut à un système politique qui ne m'a jamais véritablement reconnu pour l'un des siens. Si j'ai décidé de défier les règles de la vie politique, c'est que je ne les ai jamais acceptées. Je crois profondément dans la démocratie et la vitalité du rapport au peuple. Mais je veux retrouver ce qui fait la richesse de l'échange direct avec les Français, en écoutant leurs colères, en considérant leurs attentes, en parlant à leur intelligence. C'est là le choix que j'ai fait. C'est bien mon ambition que de m'adresser directement à mes concitoyens et de les inviter à s'engager à leur tour.

Je ne crois pas que notre pays doive se soumettre aujourd'hui à ce conformisme de caste qui enseigne qu'il faudrait passer une vie en politique pour prétendre assumer les fonctions suprêmes. Avoir une liberté réelle par rapport à ce système et, en même temps, connaître l'intimité de la fabrique de la loi et de la décision publique, tout cela, j'en suis persuadé, est une force. C'est en tout cas celle qui m'aide dans le combat que j'ai lancé.

Car notre situation, aujourd'hui, n'est ni acceptable ni tenable. Nous sommes comme recroquevillés sur nos passions tristes, la jalousie, la défiance, la désunion, une certaine forme de mesquinerie, parfois de bassesse, devant les événements. La culture dont j'ai hérité est au contraire celle de nos grandes passions joyeuses, pour la liberté, l'Europe, le savoir, l'universel. Il ne tient qu'à nous d'en retrouver l'ivresse et d'en connaître les accomplissements. J'ai écrit ce livre, comme je me suis engagé dans l'action, pour participer à ce mouvement qui nous est nécessaire et dans lequel nous retrouverons notre âme.

Lorsqu'ils écrivent sur ce qu'ils sont, et encore plus sur ce qu'ils veulent faire, les politiques sont rarement crus. Ils ont tort de s'en plaindre. On ne peut pas bénéficier à la fois des attraits du pouvoir et de l'admiration du public. Ces petites griseries, d'ailleurs, sont assez basses : être le centre du groupe, être servi comme dans les anciens temps, jouir d'une notoriété que l'on n'aurait souvent pas atteinte par ses seuls talents... Elles sont aussi dangereuses, puisqu'on peut s'y complaire et disparaître après trente ans de vie publique sans avoir rien fait qui en vaille la peine. Mais au fond, elles ne sont pas grand-chose. Parce que pour moi, l'action et la réalisation comptent seules. Sans cela, cette vie politique est indigne. C'est ce goût de l'action, de la transformation, que nombre d'élus portent en eux et qui anime leur quotidien. Ils sont à cet égard injustement emportés dans le ressentiment collectif du moment.

La politique n'est pas, et ne doit jamais être, une « profession réglementée ». La démocratie élective présente à mes yeux une tout autre grandeur. C'est celle-là qu'on retrouve chez les maires et nombre d'élus locaux. Notre pays en compte 600 000 dont les deux tiers le sont à titre bénévole. Ils ne comptent pas leurs heures, sont à portée de reproches et œuvrent à l'intérêt général. C'est aussi celle que l'on retrouve chez nombre d'élus et de décideurs qui pendant des décennies ont travaillé pour nourrir leur famille. Ils ont pris des risques et ont en même temps voulu embrasser l'action politique par amour de leur pays et de la chose publique. C'est pour cela au fond que j'ai voulu m'engager, pour dire notre grandeur et ce que je crois possible aujourd'hui pour notre pays.

Pour cela, nous devons faire ce qui doit être fait. Notre pays est rongé par le doute, le chômage, les divisions matérielles mais aussi morales. Au-dessus de ce champ désolé passent en rafales les mouvements d'une opinion désorientée et les déclarations intéressées des politiques qui en vivent. Il m'est impossible de m'y résigner. Est-ce à dire, pourtant, qu'il faille attendre le salut d'un homme, ou même d'une politique, ou même d'une élection, fût-elle présidentielle ? Je ne le crois pas. Je ne le crois pas parce que je suis un démocrate français.

Démocrate, je pense que le peuple recèle des trésors d'énergie insoupçonnés même de ceux qui prétendent parler en son nom.

Français, je pense que notre destin est de renouer le fil de cette histoire qui nous voit, depuis plus de mille ans, tenir dans le concert des nations cette place incomparable. La France est aimée pour le rang qu'elle tient. La voix qu'elle porte. Pour sa culture, sa force, son peuple, sa langue, ses talents. Elle est elle-même, forte et fière, quand elle tient ce rang. Elle y est toujours prête. Il lui faut simplement reconstituer ses forces. Nous en sommes là.

Le travail du politique, tout spécialement de l'État, ne consiste pas à dire à la nation quoi faire ou à la soumettre. Il consiste à la servir. La servir, après tant d'impasses et de politiques échouées, c'est faire confiance à cette volonté enfouie, mais qui est là et désire le bien et la justice. Pour l'État, il ne s'agit donc pas d'abord de réglementer, d'interdire, puis de contrôler et de sanctionner. Il ne s'agit pas de se poser en tuteur d'un corps social jugé, de manière arbitraire, faible et incapable par lui-même de réaliser le bien. Il s'agit tout au contraire de permettre à la nation de retrouver le mouvement créateur d'une grande histoire. Il s'agit de permettre à la société de prendre des initiatives, d'expérimenter, de trouver des solutions appropriées. Le général de Gaulle, comme Pierre Mendès-France, ont exprimé mieux que quiconque que la politique devait se confronter au réel. Je m'inscris dans cette parenté-là.

Le travail du politique ne saurait pas davantage se résumer à appliquer des dogmes. Rien n'est plus contraire à ma conception de la politique que l'entêtement de l'idéologue. Nos concitoyens n'attendent plus de leurs responsables qu'ils conduisent des débats politiques abstraits. Ils attendent qu'ils donnent un sens aux choses et développent des solutions concrètes et efficaces.

L'entreprise ne va pas de soi, en particulier pour la classe politique. S'y engager suppose de dépasser des schémas de pensée qui sont bien commodes, et à certains égards confortables, mais qui ne correspondent plus à rien d'utile, et par utile j'entends simplement ce qui peut concourir à l'avènement d'un monde moins inacceptable et moins injuste.

Les grandes politiques du passé, celles qui ont été utiles à notre pays, ont toujours été inspirées par cet esprit-là. Le général de Gaulle avait, plus qu'aucun autre, le sentiment de la grandeur de la France. Il a délibérément renoncé pourtant à l'Empire français, dont il avait appris enfant qu'il était inséparable de cette grandeur même, parce qu'il avait compris que l'avenir du pays se jouait sur le continent européen. Nul plus que Pierre Mendès-France n'avait le sens de la justice. Il s'est pourtant fait en 1945, et contre le Général lui-même, l'apôtre de la rigueur budgétaire, parce qu'il voyait, au-delà des apparences, quels malheurs sociaux le laxisme peut causer.

Je ne me résous pas à être enfermé dans des clivages d'un autre temps. On a voulu caricaturer ma volonté de dépasser l'opposition entre la gauche et la droite : à gauche en dénonçant une trahison libérale, à droite en me dépeignant comme un faux nez de la gauche. Je ne puis me satisfaire de voir le désir de la justice empêché par des schémas anciens, qui ne laissent aucune part à l'initiative, à la responsabilité, à l'inventivité personnelles. Si par libéralisme on entend confiance en l'homme, je consens à être qualifié de libéral. Car ce que je défends, en retour, doit permettre à chacun de trouver dans son pays une vie conforme à ses espérances les plus profondes. Mais si, d'un autre côté, c'est être de gauche que de penser que l'argent ne donne pas tous les droits, que l'accumulation du capital n'est pas l'horizon indépassable de la vie personnelle, que les libertés du citoyen ne doivent pas être sacrifiées à un impératif de sécurité absolue et inatteignable, que les plus pauvres et les plus faibles doivent être protégés sans être discriminés, alors je consens aussi volontiers à être qualifié d'homme de gauche.

Notre vie politique est aujourd'hui organisée autour d'un clivage ancien qui ne permet plus de répondre aux défis du monde et de notre pays. La gauche et la droite se sont d'abord divisées sur le principe même de l'adhésion à la République et de la place de l'Église. Puis ce clivage s'est structuré autour de la défense des intérêts dans un capitalisme industriel où la gauche défendait les travailleurs et la droite les possédants. Or, aujourd'hui, les grandes questions qui traversent notre époque sont le rapport au travail, profondément bouleversé par les questions environnementales et numériques, les nouvelles inégalités, le rapport au monde et à l'Europe, la protection des libertés individuelles et d'une société ouverte dans un monde de risques. Sur chacun de ces sujets, la gauche et la droite sont profondément divisées et, de ce fait, empêchées d'agir. Elles n'ont pas actualisé leurs systèmes de pensée au contact du réel qui nous entoure. Les grands partis cherchent en permanence des compromis imparfaits pour oublier ces divisions et se présenter aux élections.

Qu'y a-t-il de commun entre une gauche conservatrice qui défend les statuts, prône la fermeture des frontières et la sortie de l'euro, et une gauche sociale-démocrate, réformiste, européenne ? À peu près rien. C'est précisément ce qui a rendu si difficile l'exercice du gouvernement durant les quatre dernières années. C'est ce qui a conduit à des réformes poussives pour les uns ou à des renonciations pour les autres. Qu'y a-t-il de commun entre une droite qui prône une identité fermée sur elle-même qui n'a jamais au fond existé, accuse l'Europe de tous les maux, prône la brutalité sur le plan social et demeure ambiguë sur le plan économique, et une droite européenne, libérale et sociale? À peu près rien aussi, c'est ce qui l'a conduite à la défaite en 2012. Ce sont ces mêmes divisions qui sont aujourd'hui à l'œuvre dans le débat à droite.

Pourtant chaque camp veut redire tous les cinq ans l'importance de la discipline de parti, du regroupement des blocs qui seul permet de survivre face au spectre du Front national. Notre République se trouve aujourd'hui prise dans les rets des jeux d'appareils. Les primaires ont été inventées à cette fin: désigner un chef car le parti ne partage plus d'idéologie, d'empathie et de respect pour un seul homme. Mais aussi contourner le premier tour d'une élection aujourd'hui perçue comme un second tour, tant la qualification de la candidate du Front national est vécue comme inéluctable.

Nos partis politiques sont morts de ne plus s'être confrontés au réel, mais ils voudraient s'emparer de la principale élection pour perdurer. C'est cette fatigue démocratique, les déceptions que ce nouveau système engendre, qui nourrissent son affaiblissement même et l'inexorable progression des extrêmes.

Depuis le traumatisme du 21 avril 2002, rien n'a changé. La classe politique et médiatique forme un peuple de somnambules qui ne veut pas voir venir ce qui monte. Il s'indigne, de temps en temps, sans en tirer aucune conséquence. On voit donc les mêmes têtes. On entend les mêmes discours. On émet sur les mêmes sujets, les mêmes propositions, que l'on modifiera avant qu'elles ne soient appliquées, pour en délibérer à nouveau ensuite à grand renfort de communiqués. Je tiens pour une maladie cette communication qui s'est substituée à tout : à la conscience, à l'honnêteté, au talent, à la persévérance.

À côté des somnambules, rangés en bon ordre, voici les cyniques. Ils sont en nombre, eux aussi. Tous ceux qui savent qu'il faudrait changer et n'y voient pas leur intérêt et qui imaginent que le Front national leur permettra d'accéder plus facilement au pouvoir.

Si nous ne nous ressaisissons pas, dès le mois de mai prochain, ou dans cinq ans, ou dans dix ans, le Front national sera au pouvoir. Personne ne peut plus en douter. On ne peut, après chaque attentat ou chaque élection perdue, en appeler à l'union nationale, demander des sacrifices au pays et penser que la classe politique, quant à elle, pourrait conduire ses petites affaires comme elle l'a toujours fait. Ce serait une faute morale et historique. Et nos concitoyens le savent. Il ne s'agit pas de s'attaquer aux électeurs du Front national. J'ai toujours considéré que c'était une erreur. Je connais trop de Français qui ont choisi ce vote, non par conviction, mais justement pour protester contre l'ordre établi qui les a oubliés ou par dépit. Il faut leur reparler de leur vie. Donner du sens, une vision. Combattre ce parti qui manipule leur colère.

C'est pour cette raison que j'ai voulu constituer une force politique nouvelle que nous avons appelée « *En Marche !* ». Car le véritable clivage aujourd'hui est entre les conservateurs passéistes qui proposent aux Français de revenir à un ordre ancien, et les progressistes réformateurs qui croient que le destin français est d'embrasser la modernité. Non pour faire table rase, ou pour s'adapter servilement au monde, mais pour le conquérir en le regardant bien en face.

Chapitre III

Ce que nous sommes

Nous devons aujourd'hui faire entrer la France dans le xxie siècle. C'est cela notre défi.

Nous avons attendu 1914 pour entrer dans le xxe siècle avec fracas. 2015 nous a fait entrer dans ce siècle nouveau dans de grandes douleurs et nous refusons encore largement de le voir.

Entrer dans ce nouveau siècle exige de savoir réconcilier ce que nous sommes profondément et ce que nous devons devenir.

Or, qu'est-ce que la France et d'où venons-nous ? De mes premières années, je l'ai dit, je garde mon lien le plus intime avec notre pays. Le lien que j'ai construit avec la langue française. Le cœur de ce qui nous unit est bien là. Ces mots, parfois usés ou redécouverts. Cette langue qui charrie toute notre histoire et qui nous rassemble depuis que François Ier, à Villers-Cotterêts, a eu cette intuition géniale de bâtir le royaume sur la langue. Elle a perdu durant l'âge classique sa truculence rabelaisienne, elle a longtemps cohabité avec de nombreux patois dont elle a volé les subtilités. De la Bretagne au pays Basque, de l'Alsace à la Provence et jusqu'à la Corse, nombreux sont ceux qui demeurent attachés à cette variété, aux richesses de leurs langues régionales. Notre langue porte notre Histoire.

C'est bien ce qui fait de nous une nation ouverte, parce qu'une langue s'apprend, et avec elle les images et les souvenirs qu'elle évoque. Celui qui apprend le français, puis le parle, devient le dépositaire de notre Histoire et devient un Français. Être français, ce n'est pas uniquement une question de papiers. J'ai connu des étrangers qui ne vivaient pas en France et qui étaient devenus, par amour, des Français. Rien n'est plus grave que de décevoir cet amour-là, parce que c'est manquer à notre vocation. S'il fallait trouver un sens à une formule que je n'aime pas, celle de «Français de souche», elle désignerait, non seulement celui qui vit en Mayenne depuis dix générations, mais aussi celui qui, d'où qu'il vienne et où qu'il se trouve, honore la langue française. Rien ne m'émeut davantage que le français qu'on parle en Guyane, dans la Caraïbe, dans le Pacifique. Il est là, le véritable français de nos pères, ces pères venus de partout, établis sur toute la surface de la terre, et qui continue de faire de nous une grande nation.

Mon premier souvenir de la France, ce sont nos traversées en voiture pour rejoindre le lieu de nos vacances, dans les Pyrénées : une douzaine de voyages qui se confondent dans ma mémoire pour n'en faire qu'un, celui d'un grand rouleau de paysages défilant entre Amiens et Bagnères. J'étais donc un enfant de la province, un mot que j'ai toujours préféré à celui de «territoires», qu'on emploie aujourd'hui. Né dans la Somme, je vivais l'arrivée à Paris comme une promesse d'expériences inouïes, de lieux magiques. Nous passions en filant dans le monde d'*Arsène Lupin*, de *Monte-Cristo* et des *Misérables*, et comme tous ceux qui aiment rêver, je faisais apparaître mes héros au détour des rues. Puis venaient les charmes lagunaires, presqu'irréels du marais Poitevin, la lumière crue du Bordelais de Mauriac, les Landes et cette odeur de térébenthine qui envahit tout. Enfin la chaîne pyrénéenne apparaissait à l'horizon, fin du voyage, un refuge dans le temps, un endroit pour être heureux.

La vie de notre pays est faite, pour chacun, de petites odyssées comparables. Et ces mille odyssées françaises tissent la carte invisible d'une France à la fois une et diverse, mystérieuse et transparente, fidèle et réfractaire. Il n'y a pas de sentiment que je comprenne mieux que l'attachement à son terroir. Chacun a son endroit de France qui le tient, son point fixe. André Breton, qui avait tant aimé Paris, arriva un jour par hasard aux confins du Lot et découvrit Saint-Cirq-Lapopie. Il s'écria: «*J'ai cessé de me désirer ailleurs.*» Je ne me lasserai jamais de contempler l'âme immobile et fugitive de la France. C'est le temps fait géographie. C'est un héritage antérieur à la mémoire consciente, et le goût d'un avenir qui resterait fidèle aux espoirs du passé. Pays fait de mots, de terres, de roches et de mers. C'est cela la France. Mais pas uniquement.

C'est aussi un État et un projet, celui d'une nation qui libère.

Notre Histoire a fait de nous des enfants de l'État, et non du droit, comme aux États-Unis, ou du commerce maritime, comme en Angleterre. C'est à la fois un bel héritage et un héritage dangereux.

L'État a formé la nation par la conquête des frontières, les règles, l'égalité du droit partout sur le territoire. Il a incarné le projet républicain dans des structures dont le point d'équilibre a d'ailleurs été difficile à trouver, comme en témoigne la succession des régimes politiques que nous avons connus. Lorsqu'il s'est agi d'assurer la continuité de notre Histoire après 1789, c'est vers l'État que les Français se sont tournés. L'importance chez nous de ces figures familières, le ministre, le préfet, le directeur, le maire, vient de là, de cette nécessité de rassembler toujours, au service de la même cause, une nation variée, multiple, qui ne pouvait se définir aussi facilement que bien d'autres et se pensait pourtant appelée à un grand destin. Et c'est aussi l'État qui, au fil du temps, a reconnu la place de chacun dans l'Histoire nationale.

C'est ainsi que l'État a, en France, partie liée avec l'intime des individus et des groupes.

L'État a porté de manière très concrète le projet émancipateur de la République. Par l'affermissement des libertés individuelles et le développement de l'instruction, sous la IIIᵉ République ; par les conquêtes sociales du Front populaire ; par le redressement du pays, en 1945 et en 1958. Il a pu agir, au-delà de bien des vicissitudes, parce que les perspectives étaient là, grandes ouvertes, suscitant l'adhésion. Et aussi parce que le progrès ainsi mis en œuvre était un progrès concret et comme palpable par chacun. Longtemps les Français ont été comme reclus dans leurs villages. C'est leur mise en mouvement qui a permis au projet de prendre corps, mise en mouvement rendue possible par l'instruction publique, comme par le développement des infrastructures de transport, les routes, le train. Le rôle de l'État est bien de garantir, et aujourd'hui encore, ce décloisonnement, ces accès, ces mobilités, offrant à chacun les moyens de sa vie. Les techniques ont progressé, mais l'enjeu est le même qu'autrefois. La couverture téléphonique, mobile et fixe, le permis de conduire, les transports collectifs, covoiturage et autocar, l'accès à Internet, relèvent du même impératif que l'achèvement, hier, du réseau routier.

C'est bien là que réside un danger dont il faut prendre l'exacte mesure. Pour atteindre ses objectifs, l'État a développé en France, dans l'assentiment général, un appareil lourd et compliqué, destiné à assurer régulièrement l'égalité et la sécurité, deux valeurs qui nous sont chères. Mais lorsque le projet faiblit et que les perspectives ne sont plus discernables, cet appareil tourne à vide, faute d'impulsion, devient une gêne et un poids pour l'ensemble de la nation. Des centaines de structures subsistent qui devaient disparaître. Des agents s'occupent de tâches inutiles. La règle envahit tout, parce qu'il est plus commode d'écrire une loi ou un décret que d'indiquer une direction. Les fonctionnaires y trouvent une raison d'être et les politiques une occasion de justifier leurs privilèges. Le statut pris en lui-même l'emporte sur les raisons qui présidaient à sa création. Le pays vit pour l'administration et non l'administration pour le pays. Peu à peu, le réel s'éloigne. Le monde du pouvoir bâtit des constructions imaginaires.

Mais rien de cela n'est inévitable, et c'est l'erreur d'imaginer l'État comme un mal en soi, pour des raisons essentiellement dogmatiques, alors qu'il faut, de manière pratique, le considérer dans la durée et son rapport avec notre Histoire, pour les services qu'il rend et qu'il peut rendre. Pour les uns, l'État doit pouvoir tout faire y compris dépenser l'argent qu'il n'a pas. Pour les autres, c'est de l'État que vient tout le mal, et le briser serait la solution. En vérité il n'en est rien.

Car autour de l'État se tisse ce qui nous rassemble, notre projet commun, la République.

Je crains que ce beau mot de République ait fini par lasser à force d'être galvaudé. On s'en sert pour refuser ce que l'on n'aime pas, l'intolérance, le fanatisme, le mépris des libertés, sans pour autant dire précisément ce qu'il incarne. Des intellectuels cherchent à le distinguer de la démocratie, pour s'en féliciter ou pour s'en plaindre. Faussement naïfs, de beaux esprits s'interrogent, se demandant quelle monarchie nous menace au point que nous soyons obligés à ce point d'invoquer la République. Comment faire la part de ce qui n'a pas toujours été louable dans «la République»? La République, ce n'est pas seulement la déclaration des droits. Ce sont aussi les massacres de Vendée, la colonisation, puis les excès des guerres coloniales, la censure des livres et les tribunaux d'exception, jusqu'à une époque assez récente. Tout ce qui est bon n'est pas républicain. Et tout ce qui est républicain n'est pas bon, sans quoi il aurait fallu applaudir les tribunaux républicains qui ont condamné le capitaine Dreyfus, jusqu'à son tardif procès en révision, et conserver le bagne et l'interdiction de voter faite aux femmes, dont les républicains se sont accommodés pendant des décennies, jusqu'à ce que le général de Gaulle y mette fin; ou l'impossibilité d'avorter jusqu'à ce que Valéry Giscard d'Estaing entende la détresse des femmes; ou la peine de mort, jusqu'à ce que François Mitterrand l'abolisse. Alors, de quoi parle-t-on?

La République que nous aimons, celle que nous devons servir, c'est celle de notre libération collective. Libération des superstitions, religieuses ou politiques, libération des préjugés sociaux, libération de toutes ces forces qui concourent à faire de nous des esclaves sans que nous en ayons toujours conscience. La République est notre effort, un effort jamais achevé. Elle reste toujours à accomplir.

Un chant aussi apparemment banal que *Le Chant du départ*, au point que nous n'attachons plus guère d'attention à ses paroles, le dit très bien. « *Un Français doit vivre pour elle* »... Et cela dit moins une obligation qu'une réalité. Il y a longtemps que les Français vivent pour l'émancipation, la liberté. « *Les républicains sont des hommes, les esclaves sont des enfants.* » Ils savent, les Français, que l'on ne peut exister sous la tyrannie. La tyrannie du pouvoir mais aussi celle des structures dépassées, des préjugés, des cercles d'influence et des groupes de pression. La République, c'est ne consentir à rien de ce qui s'oppose à nos valeurs. C'est l'incarnation de notre honneur collectif. Dans une lettre de guerre, le général Diego Brosset, compagnon de la Libération, écrit peu avant sa mort à la tête de sa division : « *On ne peut employer son intelligence à trouver des raisons d'accepter.* »

Cette France, républicaine par nature, qui est la nôtre, a des ennemis. Les républicains ne peuvent jamais faire l'économie de les nommer. Ces ennemis si divers ont tous en commun d'être des rêveurs – mais des rêveurs parfois criminels –, des puritains, des utopistes du passé. Ils croient détenir une vérité sur la France. Ce n'est pas seulement un danger, c'est un contresens. La seule vérité qui soit française, c'est celle de notre effort collectif pour nous rendre libres, et meilleurs que nous sommes ; cet effort qui doit nous projeter dans l'avenir. Ces ennemis de la République prétendent l'enfermer dans une définition arbitraire et statique de ce qu'elle est et de ce qu'elle devrait être. Il y a les islamistes qui veulent l'asservir et qui, l'expérience le montre, n'apportent que le malheur et l'esclavage. Il y a le Front national qui, animé par une absurde nostalgie de ce que notre pays n'a jamais été, lui fait trahir ce qu'il est. Il y a ceux qui se rallient à l'extrême droite en adoptant ses thèses. Il y a les cyniques qui fuient la France ou la méprisent. C'est beaucoup de monde et, en même temps, ce n'est pas assez pour nous retenir.

Et c'est bien ce projet que la France porte en elle depuis tant de siècles qui fait sa place, son rang. Qui fait que la France a toujours rayonné dans le monde. De la Renaissance au siècle des Lumières en passant par la Révolution américaine jusqu'à la Déclaration universelle des droits de l'homme et l'anti-totalitarisme, la France a contribué à éclairer le monde pour le libérer du joug de l'ignorance, des religions qui asservissent, de la violence qui nie l'individu. Il y a dans l'esprit français cette prétention à l'universel qui est à la fois une indignation constante contre l'injustice et la soumission, et une volonté de dire aux autres qu'elle pense le monde, ici, maintenant, et pour le compte de tous. L'esprit des Encyclopédistes dirigés par Diderot est sans doute la quintessence de cette ambition folle, mais cette ambition c'est nous. Aussi n'est-il rien de plus contraire à ce que nous sommes que le recroquevillement sur nous-mêmes.

Chapitre IV

La grande transformation

La France est malheureuse de ce qu'elle est devenue et du sentiment qu'elle glisse vers l'inconnu, qu'elle ne maîtrise plus son destin, et perd son identité. Depuis que je suis en âge d'écouter les discours politiques, j'entends que notre pays est en crise. C'est le symptôme de ce malheur français.

Car la civilisation dans laquelle nous entrons inquiète et apparaît à nombre de nos concitoyens comme une menace, une attaque contre ce que nous sommes. Si la civilisation est un processus historique d'évolution, de progrès matériel, social, culturel et politique, elle est pour eux synonyme de recul, de perte de contrôle, d'inquiétude ou d'insécurité. Pour autant, peut-on remplacer le monde tel qu'il va ? Je ne le crois pas. Mais on peut le changer en profondeur si l'on décide d'en comprendre la dynamique propre.

La civilisation dans laquelle nous entrons est celle d'une société dont les contours ne sont plus un seul pays mais le monde. Elle est faite de flux de marchandises, d'hommes, d'argent, partout et en permanence, à travers la planète. Elle vient donc bousculer une organisation qui reposait avant tout sur des États-nations qui réglaient l'essentiel de nos vies aussi long-temps que la plus grande part de ces échanges se faisait à l'intérieur d'un pays. Notre monde a donc, au fil des décennies, vu les logiques marchandes et financières prendre le dessus. Et les États sont deve-nus des bureaucraties qui tentent de résister ou d'ac-compagner cette réalité économique sans en avoir la pleine maîtrise.

J'ai grandi dans des terres qui ont connu les conséquences néfastes de ces phénomènes. Que ce soit à Amiens ou à Bagnères, terres de textile, des dizaines de milliers d'emplois ont été détruits durant mon enfance. Parce que les usines et les laineries sont devenues moins compétitives, et que les mêmes citoyens ont pu acheter moins cher des vêtements qui venaient alors du Maghreb, puis de l'Europe de l'Est, puis de la Chine, et maintenant du Vietnam. Et aujourd'hui, il suffit de parler à un éleveur de la Lozère, ou d'ailleurs, pour toucher du doigt l'aberra-tion d'une organisation mondiale qui ne lui permet plus de vivre, l'obligeant à vendre ses bêtes à un prix nettement inférieur à celui d'il y a trente ans, alors que les investissements ne font que croître.

Cette mondialisation des flux ne cesse de s'accélé-rer. Elle crée une interdépendance entre les nations, les entreprises, les centres de recherche. Pour autant, elles ne sont pas toujours négatives. Près de deux millions de Français travaillent dans des entreprises étrangères installées en France et plusieurs millions de nos concitoyens vivent grâce à l'exportation. Non loin de Bagnères que j'évoquais, les activités aéronautiques se développent avec succès grâce à cette mondialisation. Parce qu'Airbus et tant d'autres ont su investir, conquérir de nouveaux marchés et donc l'emporter. Ce serait mentir que de prétendre que nous pourrions sortir de cette mondialisation pour vivre mieux. C'est un mensonge coupable car cette sortie ferait sans doute plus de victimes encore.

Ces profondes transformations ont mis fin au progrès collectif, régulièrement assuré au long des décennies, et conduit à l'avènement d'une économie plus rapide et changeante, faite de ruptures technologiques brutales. Nos aînés ont vécu, entre les guerres et la pauvreté, des temps plus durs que les nôtres, mais ils étaient soutenus par la perspective du progrès. Le sentiment du progrès établit un horizon psychologique, créant cette conviction intime que, si l'on y travaille, la vie sera peut-être meilleure pour soi demain, et que celle de ses enfants le sera à coup sûr. Les décennies durant lesquelles la France s'est reconstruite et a cru, profondément, dans une économie de rattrapage et de grands projets, sont derrière nous. Il y avait alors, comme aujourd'hui, des situations douloureuses, des régions qui souffraient, perdant leurs industries au gré des transformations, mais l'espoir des reconversions possibles et de la marche en avant demeurait. Aujourd'hui, au contraire, l'idée d'une crise permanente s'est installée durablement dans les esprits, accompagnée de la peur d'un déclassement presque inévitable, pour soi et pour les siens. Personne ou presque ne pense plus que la croissance pourrait suffire à assurer le destin collectif. Et ceux qui le pensent ne savent pas comment l'atteindre, ou poursuivent les chimères de la fermeture des frontières et d'un pays d'ateliers nationaux financés par l'opération du Saint-Esprit.

Qui plus est, cette mondialisation s'est accélérée et intensifiée durant les dernières années grâce, en particulier, à l'essor de la finance internationale. Ce système financier a accompagné le développement des échanges puis a connu sa progression propre. Il y a du bon dans ce développement, qui a permis à nos économies de se financer plus rapidement et dans de meilleures conditions. Mais il a aussi conduit à rémunérer des activités dont la seule fin était spéculative sans créer la moindre valeur réelle. Il a entretenu la cupidité de certains. Tout cela a conduit une part importante de nos concitoyens à rejeter en bloc la finance. Or nous en avons aussi besoin. À la fin de chaque année, nous empruntons de l'argent sur les marchés financiers pour payer nos fonctionnaires. Et si nos entreprises conquièrent de nouveaux clients et embauchent, c'est aussi dans une large mesure grâce à la finance. En cette matière, il faut faire preuve de discernement : lutter contre la finance sans finalité et encourager la finance qui permet d'investir.

Or, depuis la crise de 2008, nous avons collectivement fait le contraire. Nous n'avons pas mis un coup d'arrêt à tous les excès et, par ailleurs, nous avons accru les contraintes vis-à-vis des banques et des assurances, acteurs pourtant centraux dans le financement de nos économies. Surtout, c'est au niveau européen et mondial qu'une telle bataille doit être menée. Elle n'est pas seulement technique, elle est politique, morale. La situation actuelle donne le sentiment à nombre de nos concitoyens d'une profonde injustice. Les réponses trop faciles – qui ne fonctionneraient qu'en France ou ne consisteraient qu'à sanctionner quelques-uns – ne règlent rien : elles flattent nos passions tristes sans redonner de sens. Ce sont de quelques mesures internationales et d'une morale collective dont nous avons besoin.

Cette mondialisation, enfin, a pris un nouveau tournant ces quinze dernières années avec le développement d'Internet et du numérique. Ce sont là de nouvelles frontières qui se révèlent à nous. De nouveaux usages, de nouvelles références viennent chambouler non seulement notre organisation mais aussi nos imaginaires. Nous changeons nos habitudes. De plus en plus de Français commandent leurs repas, leurs courses, payent, réservent leurs billets de train ou leurs véhicules par Internet. Nous changeons nos manières de produire. Les logiciels et Internet conduisent à une nouvelle manière de robotiser. Cette industrie du futur transforme nos entreprises, rend moins pénibles certaines tâches manuelles et implique une formation accélérée pour nombre d'employés. L'impression 3D permet de fabriquer au plus près du terrain des petits volumes et conduit à repenser les chaînes logistiques qui avaient parfois conduit à faire produire à l'autre bout du monde des biens consommés ici.

Nos métiers changent. Selon les analyses, plusieurs dizaines de métiers nouveaux vont apparaître dans les toutes prochaines années ; certains ont déjà vu le jour, qui n'existaient pas il y a encore dix ans : gestionnaires de communautés, spécialistes du traitement de données de masse… Mais, dans le même temps, des pans entiers de nos économies vont devoir subir de profonds changements. Selon les études, de 10 % à 40 % des emplois pourraient être automatisés d'ici à vingt ans. Dans la banque et l'assurance, entre le tiers et la moitié des compétences actuelles n'auront plus de place d'ici cinq à dix ans. Les robots et les algorithmes vont venir faire plus vite, plus sûrement, à moindre coût et à toute heure du jour et de la nuit, le travail aujourd'hui répétitif de nombre de salariés. Le numérique va donc profondément bousculer notre organisation collective. Les métiers des classes moyennes, et surtout des salariés, vont être parfois menacés, alors que de nouvelles opportunités vont s'offrir pour des emplois peu qualifiés ou très qualifiés. Or, nos démocraties se sont construites sur ces classes moyennes qui vivent aujourd'hui dans l'inquiétude, pour elles-mêmes et leurs enfants.

L'univers professionnel dans lequel nous évoluons depuis des décennies est en train d'être révolutionné. L'entreprise ne sera plus le lieu de travail de toute une vie, sous le régime du contrat à durée indéterminé. Le temps et le lieu du travail se dissocient, entre le travail dans l'entreprise, chez les clients, dans des lieux de travail partagés ou à la maison. On changera de plus en plus d'entreprise, de secteur et de statut. Cette évolution est inévitable.

C'est aussi une révolution de nos modes de recherche et d'innovation. Les frontières entre les disciplines s'estompent. Les convergences entre la génomique, les nanosciences, les objets connectés et le traitement de masse des données rendent possibles des découvertes hier inimaginables. La production de données est exponentielle. Nous avons créé ces dernières années plus de données que depuis le début de l'humanité. Des maladies sont en train d'être traitées grâce à ces innovations. Notre connaissance progresse de manière inédite. Mais en même temps, des réflexions nouvelles affleurent. Des communautés se créent autour de projets inquiétants pour l'humanité : le transhumanisme, l'« homme augmenté »...

Cette transformation technologique continuera d'avoir des implications considérables sur notre organisation productive, mais aussi sur nos sociétés. Nous ne sommes qu'au début du développement de l'intelligence artificielle. Elle permet aujourd'hui d'accroître la productivité, de remplacer des tâches répétitives mais aussi des emplois. Très bientôt elle viendra concurrencer l'intelligence humaine avec des conséquences sociales multiples. D'évidence nous devons nous préparer à des bouleversements dont nous ne pouvons appréhender aujourd'hui tous les contours. Et les pouvoirs publics auront un rôle décisif compte tenu des implications éthiques et civilisationnelles de ce mouvement.

Enfin, c'est une transformation profonde de nos imaginaires. Avec Internet, désormais, tout le monde voit tout, commente tout, se compare avec le reste de la planète. Cela donne le sentiment libérateur que tout est possible. Cela rapproche les individus qui ont les mêmes passions. Cela nourrit en même temps les névroses et révèle avec cruauté les injustices sociales, les différences de niveau de vie. Cela montre aux plus pauvres le style de vie des plus riches, ce qui peut nourrir la frustration voire la révolte. Cela véhicule des images pornographiques dont l'impact n'est pas encore pleinement appréhendé. C'est aussi par ce biais que des communautés meurtrières peuvent se structurer, se développer, en frappant l'imaginaire par l'image. Le numérique a ceci de particulier qu'il permet le meilleur comme le pire.

Le numérique n'est pas un secteur économique : c'est une transformation en profondeur de nos économies, de nos sociétés, de nos systèmes politiques. Il décloisonne en ouvrant des possibles aux individus et cloisonne en recréant des clans, des cercles fermés. C'est une organisation profondément décentralisée où chacun peut jouer un rôle et reprend du pouvoir. La multitude reprend forme car chacun peut avoir sa place. On voit donc bien le défi de la civilisation actuelle : elle mondialise et dans le même temps elle individualise. Elle affaiblit donc toutes les formes classiques d'organisation intermédiaire de la société et en particulier l'État. Elle le déborde de toute part.

Par ailleurs, nos sociétés sont en train de vivre un bouleversement démographique : le vieillissement dans les pays développés, la transition démographique dans les pays en développement, l'accroissement de la population mondiale sont des transformations profondes qui ont commencé et continueront à bousculer nos organisations et nos vies.

Dans le même temps, nous sommes entrés dans une civilisation du risque. Il y a toujours eu des guerres. Elles étaient dans l'ordre des choses. Mais des risques nouveaux sont apparus, eux aussi mondiaux, dont nous avons désormais la pleine conscience.

Les risques environnementaux sont devenus pleinement perceptibles. Ils se sont manifestés à travers des catastrophes tangibles et brutales comme Bhopal en Inde, en 1984, Tchernobyl en URSS, en 1986, ou Fukushima au Japon, en 2011, mais aussi de manière plus insidieuse avec la disparition progressive des espèces naturelles (les populations des vertébrés, poissons, oiseaux, mammifères, amphibiens et reptiles ont chuté de 58 % entre 1970 et 2012), par le réchauffement climatique, par les transformations des paysages, les famines, sécheresses et autres catastrophes naturelles que des régions entières subissent.

Ces risques environnementaux sont la conséquence directe et indirecte des comportements humains. Et cela ira croissant. Le risque environnemental conduit et conduira de plus en plus à des déséquilibres, à des guerres ; les populations chercheront à conquérir d'autres espaces. Et ces migrations viendront nous toucher directement.

Le risque géopolitique, de son côté, est majeur. Depuis la chute du mur de Berlin, nombre de commentateurs prétendaient que nous étions arrivés à la fin de l'Histoire. Le monde occidental ne serait plus touché par les grands conflits et vivrait à l'abri de ce grand malheur. Il n'en est rien. Nos démocraties ont à vivre avec le risque terroriste. Après Al-Qaeda et Boko Haram, Daech est en effet cette hydre qui, de l'Irak en passant par la Syrie et aujourd'hui la Libye, cherche à nous détruire. Même si en Syrie et en Irak il est en train de reculer, et sera peut-être revenu à l'état de clandestinité dans les prochains mois, il arme au cœur de nos sociétés des terroristes qui tuent de manière indifférenciée au nom d'une idéologie totalitaire et mortifère. Des terroristes qui ont fait de la France l'une de leurs cibles privilégiées. Le risque terroriste nous a rappelé que le monde est un tout et que nous n'étions pas à l'abri des grands mouvements qui le fracturent. Nous ne pouvons rester passifs, loin de ces théâtres d'opérations, car ils ont des conséquences directes sur nos sociétés. Quant à dire que nous devons intervenir partout et en toutes circonstances, je ne le crois pas.

Ce risque terroriste, qui vient frapper notre pays, a des effets profonds sur son unité et sa solidité. Car dans cette bataille militaire, politique et idéologique, s'est installée une dimension religieuse qui conduit à tout confondre. Pour de trop nombreux Français, à tort, se battre contre Daech c'est se battre contre l'islam.

Nous ne sommes pas seulement confrontés au risque terroriste, mais aussi au risque de guerre religieuse, ou du moins à un risque d'affrontements dicté par l'imaginaire et la passion, si nous n'y prenons pas garde. Il n'y a pas de tâche plus urgente que celle du discernement.

Aujourd'hui, l'État se voit sommé d'éliminer tout risque. C'est une promesse qu'il ne peut pas tenir.

Certains politiciens, de droite comme de gauche, sont portés à choisir les rodomontades. Ils proposent de renoncer à l'État de droit pour mieux protéger nos concitoyens. Ils ne les protégeront pas davantage, car ils ne pourront jamais empêcher tout passage à l'acte, ni contrôler chaque individu. Mais ils auront, chemin faisant, permis la victoire des terroristes qui veulent nous faire abandonner, par peur, ce que nous sommes. D'autres pensent que modifier la Constitution par des symboles permettrait de canaliser la violence qui se déploie dans la société. C'était le débat sur la déchéance de nationalité, inefficace et délétère.

En réalité, face à ces risques, c'est une fermeté intransigeante et une autorité vraie qui s'imposent en acceptant qu'elles ne régleront jamais tout, tout de suite. La construction d'une société pacifiée prendra du temps.

Cette grande transformation que nous sommes en train de vivre est un défi de civilisation, elle bouscule la France dans ses représentations et ses structures d'après-guerre.

Nous sommes en train de vivre un stade final du capitalisme mondial qui, par ses excès, manifeste son incapacité à durer véritablement. Les excès de la financiarisation, les inégalités, la destruction environnementale, l'augmentation inexorable de la population mondiale, les migrations géopolitiques et environnementales croissantes, la transforma-tion numérique : ce sont là les éléments d'un grand bouleversement qui nous impose de réagir. Sans doute n'avons-nous pas vécu période comparable depuis l'invention de l'imprimerie et la découverte du continent américain. Ce sont de tels bascule-ments qui ont précisément conduit la Renaissance en Occident, comme une réinvention des organisa-tions sociales, politiques, imaginaires et artistiques. Alors que nous aurions pu disparaître.

Cette grande transformation nous oblige tous. Refuser les changements du monde en nous conten-tant de rafistoler un modèle créé pour avant-hier, ce n'est pas la France. Oublier ce qui nous constitue, renier nos principes, nous affoler comme des papil-lons dans la lumière noire du terrorisme, ce n'est pas la France. Douter chaque jour un peu plus de nous-mêmes, n'avoir aux lèvres que des mots de rétrac-tation, ce n'est pas la France. Les Français le savent bien et ils sont prêts à reinventer notre pays.

Chapitre V

La France que nous voulons

La tâche à accomplir est d'ampleur. Elle ne pourra pas être commencée sans une conscience aiguë des changements qui sont à l'œuvre autour de nous. Et sans une rupture délibérée avec l'espèce de fatigue accumulée depuis trop longtemps.

À côté des ennemis qu'on peut nommer, il en est un qui est beaucoup plus redoutable. C'est le laisser-aller. Nous sommes moins les victimes de nos ennemis que de notre propre inertie. Nous nous accommodons de nos six millions de demandeurs d'emploi, toutes catégories confondues, de notre industrie en déshérence, de nos mœurs institutionnelles obsolètes, de nos propres divisions mesquines qui ne règlent rien, de mille situations de rente injustifiées. Nous nous sommes habitués à une Éducation nationale dépassée, à une structure territoriale souvent inadaptée et désuète, à un système de lois et de règlements du xixᵉ siècle qui assure moins le respect des grands principes que le confort intellectuel de ceux qui savent habilement s'en servir. Nous acceptons l'inefficacité relative de l'action publique.

Cette situation n'est pas seulement désespérante pour les citoyens. Elle l'est aussi pour tous ceux qui ont la vocation du service public, qui est l'une des plus estimables qui soient. Ils s'y sont engagés non par amour du statut, mais pour concourir, chacun à sa place, à la réalisation du projet national. Or, leur vocation, leur énergie, leur dévouement, se heurtent chaque jour à cette paresse de l'intelligence et de la volonté à laquelle il faudra bien un jour mettre fin.

On ne peut laisser le champ libre aux extrêmes dont les promesses intenables, incohérentes, consistent à nous tirer vers un ordre ancien idéal qui n'a jamais vraiment existé. Ils proposent de soustraire la France au cours du monde, sans considérer tout ce que nous aurions à y perdre, mais surtout en oubliant de dire que ce n'est pas la vocation de notre pays.

Nous en sommes là, à l'arrêt, curieusement immobiles et souffrant aussi de cette immobilité qui ne nous satisfait pas. Dès qu'on touche quelque chose, des voix s'élèvent pour dénoncer la braderie du modèle français, ce modèle qui pourtant ne marche plus. On tente des « réformes » – comme ce mot même paraît usé pour nos concitoyens ! – sans oser en expliquer le sens et le cap. Mais chacun est malheureux de cet immobilisme relatif ou de ces réformes graduelles et non assumées. C'est le paradoxe français.

Car le système s'est organisé pour protéger l'ordre existant. Même ceux qui le dénoncent se satisfont de leur dénonciation, ne souhaitant pas réellement le perturber. Ce qui existe – et qui pourtant ne satisfait personne – est tenu, sans examen, pour meilleur que ce qui peut advenir. C'est une France des situations acquises et des rentes garanties, statutaires, financières, intellectuelles. Mais dans le même temps où chacun désire le maintien de ce système injuste, chacun le déteste et s'en plaint. Il ne reste plus alors, pour étouffer la plainte, qu'à dépenser davantage l'argent d'un impôt mal conçu et d'une dette considérable.

Depuis des décennies, la classe politique n'a rien su inventer d'autre, pour répondre aux blocages, aux inégalités, aux injustices, qu'un surcroît de dépense publique. Depuis plus de trente ans, droite et gauche ont remplacé la croissance défaillante par de la dette publique. Ils ont octroyé des aides sans les financer et en les gageant sur les générations à venir sans rien régler des déséquilibres profonds. La dépense publique a augmenté de 170 milliards d'euros en cinq ans sous le précédent quinquennat. Ces chiffres donnent le vertige. En y consentant, nous avons commis la faute la plus grave : rompre la continuité historique en laissant à nos enfants la charge d'une dette insoutenable, faute d'avoir eu le courage d'affronter la réalité. De cette lâcheté nous sommes tous coupables. Un pays ne peut vivre durablement dans l'inertie et le mensonge.

En la matière, l'Histoire instruit toujours. Je pense souvent à ce que la République de Venise a dû vivre en 1453 lorsque Constantinople est tombée aux mains des Turcs. Depuis 1204 et la quatrième croisade, Venise s'était imposée comme une puissance maritime et de commerce, entièrement engagée sur la route de la soie : ville triomphante, maritime, commençant à inventer l'industrie. Elle avait entièrement délaissé son arrière-pays, mises à part les quelques routes qui lui permettaient d'aller vendre ses marchandises dans les grandes foires de Champagne et des Flandres. La chute de Constantinople abolit ce modèle. La route classique de la soie devient moins sûre et plus coûteuse. Au même moment, l'imprimerie est inventée. Le monde ancien semble chanceler. L'avenir de Venise est compromis, le doute s'installe. C'est alors que Venise décide de tout changer, de se tourner vers la *Terra Ferma*, la terre ferme, l'arrière-pays, si négligée jusqu'alors. Elle développe un axe inédit avec Gênes, Barcelone et Séville. En 1492, un Génois au service de l'Espagne découvre le continent américain. En 1498, Vasco de Gama, un Portugais, arrivant à Calicut, montre qu'on peut atteindre les Indes par la mer. La route terrestre de la soie est morte, la haute mer l'emporte et Venise a eu l'intelligence et la volonté de s'adapter. L'Est est remplacé par l'Ouest, la mer par la terre, les lieux de passage par des lieux d'enracinement, le commerce change de route, l'agriculture se développe. Les canaux d'irrigation se multiplient et de nouveaux talents réinventent la nouvelle Venise. Ils se nomment Palladio, Véronèse, Giorgione, ils sont les génies de cette nouvelle ère. Venise restera puissante et son âme ne disparaîtra pas.

À travers ces changements, Venise n'a rien abandonné de ce qui faisait son esprit et sa force. On peut même penser qu'elle y a puisé l'énergie nécessaire à sa conversion. Il en ira de même pour nous.

Nous sommes capables de relever ensemble le défi que ce temps nous lance en renouant le fil d'une Histoire millénaire qui nous a vus séparer l'Église et l'État, inventer les Lumières, découvrir les continents, prétendre à l'universel, créer une culture inédite et construire une économie forte. Il y faut de l'énergie. Cette énergie existe. Elle est profonde et elle vient de loin. C'est le devoir de la politique de lui permettre enfin de s'exprimer.

C'est pour cela que je ne crois pas au fait d'égrener des propositions dans le cadre d'une campagne. Le moment que nous vivons est bien celui d'une refondation profonde.

Aujourd'hui, les victimes de notre incapacité à choisir, à repenser en profondeur les choses sont les plus jeunes, les moins bien formés, les Français d'origine étrangère, les générations à venir, ceux qui restent à la périphérie du marché du travail et sont en intérim, ou en contrats courts à répétition, ceux qui ne parviennent pas à obtenir un logement stable et sont en attente d'un logement social ou pris au piège de logements insalubres, quand ce n'est pas pire, les familles monoparentales ou non qui, travaillant, sont étranglées par les traites du mois et ne peuvent plus vivre, les discriminés... Sans une refondation de notre système, cette armée de victimes enflera et, avec elle, la crainte des classes moyennes de voir leurs enfants connaître le déclassement.

Chaque jour, notre pays s'affaiblit de ne pas être adapté à la marche du monde. Il se divise face aux injustices frappantes, intolérables, qui le traversent.

Aussi, notre premier devoir est de reconstruire une France juste et forte. Notre responsabilité est de montrer aux Français qu'il existe un chemin commun. Une voie pour tous.

Comment y parvenir?

Comme la France de 1945 et du Conseil national de la Résistance, nous devons changer de logique profonde et refonder nos manières de penser, d'agir et de progresser.

Nous devons passer d'une France qui subit à une France qui choisit. Ce que nous voulons, c'est maîtriser notre destin, un destin individuel et collectif. L'injustice profonde que nous dénonçons, c'est le fait que certains ont le choix et d'autres non. Que des Français sont en mesure de choisir l'école de leurs enfants, leur lieu de vie, leur travail, leurs destinations de vacances, tandis que d'autres Français subissent tout cela.

Ce qui tient la France unie, c'est sa passion réelle, sincère, de l'égalité. C'est à mes yeux une indignation justifiée devant le scandale permanent de l'inégalité, du cynisme et de l'iniquité sociale. C'est le rêve d'avoir une nation de citoyens non point semblables, mais égaux en droits et, plus profondément, en possibilités. Aujourd'hui, notre système ne permet plus de tendre vers l'égalité. À force de dépenser plus et de produire plus de règles, nous avons paralysé, puis attiré vers le bas, la société tout entière, devenue immobile.

Depuis trente ans, la gauche comme la droite ont continué de défendre un système qui promeut l'uniformité, l'indifférenciation, la massification. Je ne crois pas à l'«égalitarisme» qui fait que le succès d'autrui devient une offense insupportable. Dans le même temps, la gauche et la droite ont créé des droits sans contenu, des droits à crédit, en faisant croire que c'était le sens du nouveau progrès. Mais que penser du droit au logement opposable, dans un pays qui compte des millions de mal-logés ? La véritable égalité n'est pas celle inscrite dans la loi. C'est celle qui met, dans les faits, chacun sur la même ligne de départ. Qui donne aux individus, à tous les individus, les armes pour réussir à l'école, au travail, face à la santé, à la mobilité ou à la sécurité. C'est cela que la politique doit aux Français. Non pas promettre un modèle unique, mais donner à tous les mêmes chances et les mêmes opportunités, à chaque moment de la vie.

Aussi devons-nous passer d'une économie de rattrapage à une économie de l'innovation. Aujourd'hui, nous ne vivons plus dans une économie de grands projets, comme cela était encore le cas durant les Trente Glorieuses. Le cap, ce n'est plus l'imitation de produits imaginés à l'étranger, c'est l'innovation chez nous, dans notre pays. La force et la puissance du modèle qui émerge résident dans l'alliance que des entreprises sont capables de sceller avec des millions d'utilisateurs. Il en résulte une économie formidablement déconcentrée, plus horizontale, dans laquelle le consommateur est d'abord créateur de valeur. Toutefois, l'innovation n'est pas un progrès en soi. Innover pour innover, c'est comme marcher sans but ! Ce qui compte, c'est donc l'usage que nous faisons de l'innovation. C'est le sens que nous lui donnons. Face à elle, il ne faut pas être béat : il faut l'aborder de manière lucide pour faire en sorte que la technologie serve le progrès économique, social et écologique, et qu'elle permette à tous de gagner en liberté d'action.

Les protections corporatistes doivent laisser la place aux sécurités individuelles. Les membres du Conseil national de la Résistance qui ont forgé le consensus de 1945 avaient pensé à la maladie, aux accidents du travail et à la retraite. Pour y faire face, ils ont créé la protection sociale autour d'un principe : la société doit protéger face à la maladie, la vieillesse et les accidents du travail seulement celui qui a un emploi. Cette protection diffère selon le statut et le secteur, et parfois selon le métier. Cependant, ils ne soupçonnaient pas l'émergence d'une société du changement rapide et brutal, de la désindustrialisation, et donc de la précarité. Ils n'imaginaient pas que le chômage concernerait un jour 10 % des actifs. Ils ne pouvaient concevoir la fragmentation du monde du travail, la montée en puissance de l'intérim et d'un système, en un mot, post-salarial. La réalité, c'est que notre protection sociale ne protège plus une part croissante de nos concitoyens.

Afin de répondre à cette injustice de fait et pour accompagner chacun dans un monde plus risqué, les nouvelles protections sociales ne doivent plus dépendre de la situation des Français. Elles doivent s'organiser de manière plus transparente, généralisée, avec des droits pour chacun, mais aussi des devoirs.

Nous devons enfin passer d'un modèle centralisé à un modèle qui permet à chacun de s'engager. Qui peut sérieusement croire qu'il est optimal de tout régenter depuis Paris ? de régler des problèmes différents de la même manière ? de traiter le citoyen en administré, sans le considérer comme un acteur à part entière ? La société française déborde de vitalité ; mais cette vitalité n'emprunte pas seulement les canaux traditionnels – Paris, les grandes administrations, les grandes écoles, les grandes entreprises. Elle vient aussi, et sans doute davantage, des quartiers populaires, de la France rurale, des jeunes, des collectivités locales et des petites entreprises. L'énergie de notre pays est notre chance ! L'État ne pourra plus, comme autrefois, relever par décision unilatérale les défis du siècle. Ainsi, sur des sujets aussi cruciaux que la transition environnementale, nous avons besoin de l'engagement de tous. Ce sont les entreprises, les salariés, les consommateurs, les fonctionnaires, qui porteront la transformation de notre modèle productif. Sans attendre, il faut donc donner à tous, au plus grand nombre, le pouvoir de faire et de réussir. D'être responsables. De s'engager.

Nous avons donc le choix entre deux approches. Celle qui propose quelques remèdes présentés comme radicaux et qui ne feront que retarder la mort clinique, si toutefois ils n'aggravent pas le mal. Et celle qui consiste, à partir de quelques priorités choisies, à organiser une refondation en profondeur de notre modèle. À en reconstruire les grands équilibres.

Le temps est passé des petits compromis commodes sur ces sujets qui conditionnent la vie de nos concitoyens. Nous devons simplement changer de logique.

Réconcilier les France, c'est répondre au désir des Français d'une prospérité juste ; la liberté pour chacun de créer, de se mouvoir, d'entreprendre ; l'égalité des chances pour y parvenir ; la fraternité dans la société, en particulier pour les plus faibles.

Ce qui tient la France unie relève de l'acceptation et du refus : l'acceptation de la diversité des origines et des destins ; le refus de la fatalité. De là vient notre volonté de donner l'autonomie à tous, de permettre à chacune et chacun d'avoir une place. C'est le rêve d'avoir une nation, non pas de semblables, mais d'égaux en droits.

Ce travail prendra dix ans. Il faut le commencer dès à présent.

Chapitre VI

Investir dans notre avenir

Si nous voulons réussir, être justes avec les plus fragiles et garder notre rang de pays international, nous n'avons qu'un chemin : produire dans notre pays et construire ainsi les conditions d'une nouvelle prospérité. La désindustrialisation française est en effet l'une des causes de notre malheur. L'enjeu n'est pas de refaire la France industrielle de l'après-guerre : cela n'aurait aucun sens. L'ambition qui doit nous animer est de renouer avec le rêve productif qui est au cœur de notre Histoire et de notre identité.

Ce rêve industriel fut étatiste du temps de Colbert, à l'avant-garde de la révolution industrielle avec Napoléon III, modernisateur sous la IVe et les premières années de la Ve République. Il n'a jamais cessé d'animer les entrepreneurs et les salariés de notre pays. Il est aussi au cœur de notre identité. Car la France ne s'est jamais pensée autrement que comme un pays qui crée, invente, innove, prenant toute sa part dans la construction du progrès humain.

Au regard de cette ambition plus que bicentenaire, la réalité d'aujourd'hui est particulièrement cruelle. Depuis 2000, nous avons détruit près de neuf cent mille emplois industriels et l'industrie est passée de 17 % à 12 % de notre produit intérieur brut. Il n'y a donc pas de tâche plus urgente que de retisser le fil de cette ambition ancienne, pour l'heure durablement compromise.

Renouer avec le rêve productif de notre pays est également un impératif social. Rien ne sert d'affirmer qu'en France nous ne voulons pas abandonner les plus fragiles si, dans le même temps, nous laissons dériver sans sourciller l'industrie française. La vraie prospérité se construit en produisant d'abord et en répartissant ensuite, car sans production il n'y a pas de « modèle social ».

Pour y parvenir, le préalable est de choisir la bonne politique économique. Or, depuis trente ans et jusqu'à récemment, nous avons choisi de substituer à la croissance économique celle de la dépense publique. Nous avons été très généreux sur les aides sociales, mais nous ne nous sommes jamais attaqués aux racines du chômage de masse. Nous avons soutenu les aides au logement, sans nous préoccuper suffisamment de construire. En somme, nous avons construit un modèle de dépenses palliatives plutôt que de dépenses productives. Aujourd'hui, ce modèle est à bout de souffle. Notre taux d'endettement nous interdit d'accumuler toujours plus de déficits pour financer des dépenses courantes. Notre taux de prélèvements obligatoires nous interdit de ponctionner toujours plus les contribuables. Pour autant, cela signifie-t-il qu'il faille couper indistinctement dans nos dépenses et organiser un retrait systématique de la puissance publique ? Cela serait tout aussi absurde. Nous avons plus que jamais besoin d'investir dans l'école, la santé ou la transition énergétique – pour ne citer qu'eux. Ce sont des domaines où l'action publique peut faire mieux, mais où personne ne peut faire sans elle.

J'ai donc toujours été mal à l'aise avec le débat qui oppose les partisans de la « relance » à ceux de la « rigueur ». Je considère qu'il est mal posé. Les premiers croient qu'il suffit d'accroître les déficits pour soutenir notre économie, sans tenir compte de nos finances publiques. Les seconds estiment qu'il suffit de couper dans les dépenses et de réduire les déficits, coûte que coûte, pour retrouver le chemin de la croissance. Les deux ont tort. Autant il ne serait pas pertinent de viser l'équilibre de nos comptes publics dans un contexte de transition comme aujourd'hui, autant il ne serait pas sain de ne pas se préoccuper du niveau de nos dépenses publiques et de leur efficacité, ainsi que du niveau des impôts, taxes et autres cotisations.

Je suis favorable à ce que nous poursuivions une réduction de nos dépenses publiques. Plus que le déficit, le pilotage de nos comptes publics devrait passer par la fixation d'un objectif de dépenses publiques. Nous pouvons le faire sans fragiliser la croissance ou remettre en cause de nécessaires protections sociales. Nous dépensons l'équivalent de 56 % de notre richesse nationale, là où la moyenne de la zone euro, avec qui nous partageons assez largement ces protections, est à un niveau de 49 %. Nous pouvons le faire à un rythme résolu mais raisonnable en visant une meilleure efficacité de nos dépenses publiques.

Nous devons le faire en privilégiant des économies franches et en responsabilisant tous les acteurs qui connaissent le terrain plutôt qu'en donnant des coups de rabots successifs. En tenant compte de nos priorités et des impératifs de justice, tous les secteurs, l'État et ses agences, les collectivités locales et les administrations de sécurité sociale ont vocation à être mis à contribution. Est-il logique de ne pas réformer les 18 milliards d'euros d'aides personnalisées au logement alors qu'elles bénéficient moins aux attributaires qu'à leurs propriétaires et alimentent l'inflation des prix dans l'immobilier ? Est-il opportun de laisser les dépenses de fonctionnement continuer à augmenter, y compris au-delà des transferts de compétence, alors que les dépenses d'investissement se contractent ? Est-il pertinent de maintenir un plafond d'indemnisation du chômage à plus de 6 000 euros quand notre régime enregistre un déficit de l'ordre de 4 milliards d'euros ? Cela nous permettra de diminuer ainsi les prélèvements obligatoires.

Ce qui importe à court terme est de prendre les décisions stratégiques qui nous mettront sur ce chemin. Contre les partisans dogmatiques de la «relance», nous devons engager des réformes structurelles majeures, passer en revue systématiquement les politiques publiques et poursuivre résolument la baisse des dépenses les plus inefficaces. Contre les partisans dogmatiques de la «rigueur», nous devons assumer que notre économie a des besoins vitaux dans un certain nombre de domaines et qu'elle peine encore à se remettre de la crise économique et financière. Il serait absurde de sacrifier notre croissance future pour gagner un dixième de point de PIB de déficit l'année prochaine, et de ne pas profiter du contexte historique de taux bas pour ne pas financer des investissements rentables pour notre économie. Je crois donc qu'il faut mener à court terme une politique respectueuse de notre croissance économique, qui s'appuie sur deux piliers, d'égale ambition : investissement public dans des domaines clés et baisse durable des dépenses courantes.

Je considère trois domaines comme prioritaires pour l'investissement public.

Le premier, c'est le *capital humain*, comme disent les économistes, c'est-à-dire l'éducation et la formation. Encore une fois, l'investissement dans l'école, dans l'enseignement supérieur et la recherche, mais aussi dans la formation continue, est absolument décisif. Il s'agit là de l'unique moyen de donner à la France, au cours des prochaines décennies, les moyens de ses ambitions. Dans ce domaine, nous accusons un retard qui nous coûte cher. Il nous rend moins productifs, moins innovants et moins compétitifs. Il alimente le chômage de masse et creuse les inégalités. Il est même pernicieux d'un point de vue strictement comptable : car l'argent que nous ne mettons pas dans nos écoles ou dans la formation nous contraint à dépenser plus encore pour réparer les dégâts. Investir dans le «capital humain», c'est aussi financer l'innovation en France. En matière de santé, par exemple, nous avons des capacités d'innovation formidables, notamment dans nos hôpitaux publics, dans nos laboratoires publics, dans nos entreprises.

Actuellement, nous les accompagnons avec un crédit impôt recherche que le monde entier nous envie car il permet aux entreprises de retirer de leurs impôts une partie de leurs investissements en recherche et développement. Cependant, notre système est encore rétif à laisser l'innovation se développer : les procédures sont trop longues et les normes trop complexes. Ainsi, les chercheurs qui ont imaginé le cœur artificiel – qui est une première mondiale française – ont bien failli, face à la complexité de notre système, partir à l'étranger pour porter leur projet. Une fois de plus, nous devons non seulement investir mais aussi simplifier drastiquement pour accompagner et encourager... plutôt que brider et empêcher.

Le deuxième domaine prioritaire pour l'investissement public, c'est la transition écologique. Si certains continuent de servir leurs intérêts de court terme avant toute chose, nous courons à notre perte. C'est flagrant dans le domaine de l'énergie – où les entreprises et les citoyens vertueux ne sont pas spontanément récompensés par le libre jeu des marchés. La rénovation thermique des logements et l'électrification des usages exigent un investissement public. Mais c'est aussi vrai dans le domaine de l'agro-écologie où un agriculteur isolé n'a pas forcément les moyens d'entamer seul une transition vers un nouveau modèle qui nécessiterait la mise en route de l'ensemble du secteur. C'est aussi le sujet des infrastructures et des transports qui doivent permettre à nos territoires d'être mieux desservis. Il faudra, là aussi, une coordination et une mobilisation générale impulsée par les pouvoirs publics, en donnant une visibilité sur plusieurs années aux acteurs privés. Dans ces domaines, l'État doit intervenir, envoyer les bons messages aux bons acteurs, investir et favoriser l'innovation, renforcer la fiscalité environnementale et soutenir toutes les entreprises, petites et grandes, qui nous entraîneront vers une économie bas-carbone et respectueuse de l'environnement.

Le troisième, c'est le déploiement de la fibre numérique partout en France. Après le rail, l'électricité, la télévision, la téléphonie, il s'agit là d'un chantier national comme il y en a peu dans notre Histoire. Il est particulièrement vital pour les territoires les plus enclavés. Il est aujourd'hui indispensable pour moderniser rapidement notre économie entière et lui faire franchir, en quelques années, un cap technologique crucial. En tant que ministre, j'ai activement conduit la politique actuelle de déploiement de la fibre par les opérateurs de télécommunication. Je constate, toutefois, que pour les zones rurales les plus reculées, l'État doit lui-même, au-delà des cofinancements, s'engager plus nettement. En cas de défaillance des opérateurs, et promouvoir des solutions innovantes, y compris par voie satellitaire.

C'est un investissement public planifié sur cinq années que je veux décider. C'est la seule manière de répondre aux besoins historiques de nos territoires et de nos acteurs économiques, et de leur donner la visibilité nécessaire. Je souhaite en la matière une initiative européenne rapide, mais je ne veux pas ici attendre des décisions incertaines et, peut-être, trop lentes.

Bien sûr, les règles budgétaires doivent nous inciter à réduire nos déficits permanents, par une réduction des dépenses publiques, qui révèlent les dysfonctionnements de nos administrations. Mais elles ne doivent pas nous empêcher de saisir ces opportunités. C'est pourquoi j'insiste pour que l'on sépare, dans les discussions nationales et européennes, d'une part, les indiscutables besoins d'économie et d'efficience dans nos dépenses de fonctionnement, et, d'autre part, les besoins d'investissement et de modernisation de notre économie.

L'Europe, en la matière, on le voit, a un rôle déterminant. Si nous voulons construire l'avenir de notre pays, nous devons conduire des réformes profondes en France, et investir en France et en Europe.

Parallèlement, les entreprises doivent engager des investissements privés. C'est par ce biais que l'innovation et le développement de nouvelles activités permettront d'aller vers un modèle de croissance solide. Il y a vingt ans, la France a perdu la bataille de la robotisation : elle a freiné l'investissement dans la robotique en pensant protéger les emplois. Cela n'a pas été le cas, bien au contraire. De leur côté, dans leurs usines, les Allemands comptent cinq fois plus de robots que chez nous et ont su préserver beaucoup plus d'emplois industriels. Ils ont actuellement un taux de chômage quasiment égal à la moitié du nôtre. Aujourd'hui, la France ne doit pas rater le virage de l'innovation et de la numérisation de son économie.

Il faut donc que les entreprises, petites ou grandes, artisanales ou industrielles, puissent reconstituer leur marge pour investir. Pour cela, elles ont besoin de visibilité et de stabilité. Elles doivent pouvoir se projeter dans le temps, prévoir leurs investissements, tracer leur stratégie, partir à la conquête de nouveaux marchés. En France, aujourd'hui, les entreprises passent trop de temps à essayer de comprendre les changements de lois incessants. Alors que nos économies se transforment à pleine vitesse, que le contexte est de plus en plus incertain, la responsabilité des pouvoirs publics est de ne pas être eux-mêmes une source d'inquiétude et de paralysie.

Parfois, même, de bonnes mesures sont inefficaces car l'instabilité les rend incertaines. Comment expliquer qu'on a modifié cinquante fois le code du travail depuis 2000? Comment justifier qu'au cours d'un même quinquennat, on change plusieurs fois les règles d'un secteur ou les modalités d'un impôt?

Alors, posons des principes simples: une fois une réforme engagée, ne modifions plus les mesures prises et laissons-les s'appliquer avant de les évaluer; engageons-nous à ne pas modifier plusieurs fois un même impôt au cours d'un quinquennat. Des pans entiers de notre économie ont été bouleversés par des changements de règles qui ont pesé sur l'activité économique, quand bien même elles étaient décidées pour de bonnes raisons. Dans nombre de secteurs de notre économie, comme le logement, l'agriculture ou l'hôtellerie et la restauration, nous avons trop changé les règles. Je veux qu'on n'ajoute plus de nouvelles règles avant d'avoir passé en revue celles qui existent et n'ont pas d'utilité. Qu'on sollicite même les acteurs et tous les Français pour identifier ces règles devenues caduques. Qu'on demande aussi aux fonctionnaires, sur le terrain, discernement et cohérence.

Dans une laiterie que je visitais à quelques kilomètres d'Aurillac, le jeune exploitant agricole qui la dirigeait m'a raconté qu'on avait exigé de lui qu'il investisse dans un pédiluve à l'entrée de l'étable deux ans plus tôt. Le même service de l'État est revenu quelques mois après sur la consigne et lui a indiqué que ledit pédiluve devait être démonté car il posait, au final, des problèmes d'hygiène. La règle était tombée sans explication. Puis la règle avait changé sans plus de détail. La plaisanterie lui coûta trois mois de revenus. Comment imaginer que l'État, dans un tel contexte, puisse encore avoir de la crédibilité et que les entreprises puissent investir sur les transformations utiles lorsqu'on les affaiblit de manière inexplicable et autoritaire ?

Pour investir dans l'innovation, les entreprises ont besoin de reconstituer leurs marges et donc de réduire le coût du travail, de l'énergie et du capital. À cet égard, le quinquennat actuel aura marqué un tournant, en particulier sur le coût du travail. Le « crédit d'impôt compétitivité emploi » (CICE) et le « pacte de responsabilité et de solidarité » auront redonné des marges de manœuvre aux entreprises et stoppé l'hémorragie de l'emploi.

Je veux, en ce domaine, que les choses soient claires. Je souhaite réduire les prélèvements sur les entreprises qui nuisent à leur compétitivité et soutenir l'investissement productif. Pour ce faire, entre autres, je transformerai le crédit d'impôt compétitivité emploi en allégement de charges et je déciderai d'autres allégements ou suppressions de cotisations sociales patronales. Des économies sur la dépense publique et une fiscalité plus incitative, notamment sur la pollution ou la consommation, seront décidées pour financer cela. C'est à cette condition que les entreprises pourront à la fois embaucher et investir, les deux priorités pour notre économie.

Pour ce qui est de l'innovation, bien sûr, la stabilité des règles et la baisse des cotisations ne font pas tout. Nous avons une force à encourager et à développer, celle de notre entrepreneuriat. On parle souvent des *start-up*. Derrière ce terme, il y a bien plus qu'un effet de mode. C'est un nouveau modèle d'entreprises et d'entrepreneurs qui est en train d'émerger.

Il est le ferment d'une transformation économique et d'un changement culturel. Car le paradoxe français, jusqu'à aujourd'hui, peut être fatal à notre avenir : d'un côté, nous stigmatisons l'échec, de l'autre, nous conspuons la réussite. La peur de l'échec est gravée dans la chair de nos enfants : à l'école, on oblige les élèves qui échouent à se conformer au modèle unique d'excellence. Le résultat, c'est que nos jeunes perdent confiance en eux-mêmes et qu'ils ont peur d'oser. Voilà pourquoi je crois qu'il nous revient d'imprimer dans les consciences que celui qui échoue, c'est avant tout celui qui a tenté. Et que celui qui a failli a un avantage considérable sur celui qui n'a jamais essayé : il a accumulé de l'expérience. Dans le même temps, nous devons valoriser la réussite, car elle est l'autre face de la même pièce. Nous devons apprendre à célébrer et à consacrer ceux qui réussissent dans tous les domaines. Alors mettons la lumière sur toutes les réussites françaises, qu'elles soient entrepreneuriales, sociales, intellectuelles, sportives ou culturelles.

Pour que cet entrepreneuriat réussisse et se développe en France, je souhaite deux choses simples. D'abord, une fiscalité qui récompense la prise de risques, l'enrichissement par le talent, le travail et l'innovation plutôt que la rente et l'investissement immobilier. Notre fiscalité, et j'inclus ici l'actuel impôt sur la fortune, ne doit plus pénaliser ceux qui réussissent de leur vivant et investissent dans les entreprises et dans l'innovation.

Il faut, ensuite, un financement qui permette à nos entreprises de lever des capitaux rapidement et massivement. C'est indispensable dans une économie de la connaissance.

Comment expliquer qu'une société comme Uber soit aujourd'hui en France la principale entreprise de véhicules avec chauffeurs, alors que nous avons des concurrents français qui proposent peu ou prou le même service ? Parce qu'Uber est déjà parvenu à lever des dizaines de milliards de dollars, tandis que les entreprises françaises n'ont levé que quelques dizaines de millions d'euros. Le problème, c'est bien l'accès rapide et massif aux fonds propres en France.

Enfin, il n'y aura pas d'investissement dans l'avenir de notre pays si l'État n'assure pas une juste protection et un même respect des règles pour tous. Cela passe d'abord par la politique de concurrence. C'est à mes yeux un instrument décisif qu'on a trop souvent et artificiellement opposé à la politique industrielle. Or, les règles de concurrence permettent aux plus petits et aux nouveaux d'entrer sur un marché, s'ils se battent, travaillent et innovent. Sans cela, la place est exclusivement réservée à ceux qui sont là depuis longtemps, s'entendent entre eux et s'arrangent. La concurrence protège de la connivence et permet la liberté, c'est essentiel.

Comment des agriculteurs peuvent-ils innover, investir dans la transformation de leurs outils de production, si on ne les protège pas des distributeurs, si on ne s'assure pas qu'il y a une juste concurrence qui permette d'éviter que certaines grandes surfaces ne se mettent d'accord pour réduire leur marge ? La concurrence est indispensable à l'innovation.

L'État est aussi celui qui donne une perspective sur le long terme.

Si je poursuis le même exemple, les agriculteurs ont bien souvent besoin, pour survivre, de se moderniser. De mieux valoriser leur production, d'acheter des machines pour produire à moindre coût. Comme tout acteur économique, ils ont besoin de stabilité pour s'engager sur plusieurs années. Plus encore dans leur cas, si on ne régule pas les marchés pour les aider à surmonter les fluctuations des prix, il devient compliqué d'investir.

L'État doit garantir du long terme, de la stabilité, par des contrats de filière pour protéger l'indispensable innovation.

La concurrence déloyale des pays étrangers est évidemment un frein à l'innovation et à l'embauche. Aussi est-il indispensable de faire respecter les règles du jeu et de combattre fermement, avec l'Union européenne, toute concurrence déloyale. C'est là que la souveraineté européenne économique est décisive. Lorsque des géants asiatiques ou américains ne respectent pas les règles du jeu, lorsqu'un secteur stratégique doit être protégé, la puissance publique a son mot à dire et doit prendre ses responsabilités. Je n'ai cessé, en tant que ministre, de mobiliser mes forces pour que l'Union européenne fasse entendre sa voix face aux acteurs chinois de l'acier et protège mieux les entreprises sidérurgiques implantées sur notre sol. J'ai défendu les artisans et commerçants face à la concurrence des géants de l'Internet et plus encore plaidé pour que la nouvelle économie soit conçue, pour eux, comme une opportunité de croissance. Ce qui suppose de lever les obstacles qui entravent le développement de ces entreprises, à commencer par la multiplication de normes et de prélèvements qui ne s'imposent pas aux fameux Google, Apple, Facebook et Amazon (GAFA).

Certains secteurs ne peuvent être abandonnés au seul jeu du marché. La protection de notre souveraineté nationale doit être abordée sans naïveté et toute la palette des instruments d'intervention publique disponibles doit pouvoir être mobilisée : soutien direct, actionnariat public, autorisation des investissements étrangers... Quand il s'agit de secteurs en lien avec la Défense, c'est un enjeu stratégique évident pour notre souveraineté militaire. L'État soutient directement les développements de programmes militaires, en particulier comme client. Dans ce secteur, il doit demeurer au capital de plusieurs entreprises clés et suivre de près l'évolution du capital des entreprises privées. Quand il s'agit de matière première ou d'énergie, l'État doit être en première ligne également, car se jouent à la fois l'indépendance énergétique de notre pays, la solidité de nos grands choix écologiques, les coûts pour l'ensemble de nos entreprises et le pouvoir d'achat pour tous nos concitoyens. C'est ce qui fait que, plus récemment, l'État était légitime pour restructurer la filière nucléaire qui, seule, permet une production d'électricité décarbonnée et à des prix particulièrement compétitifs. Et c'est pour cela que, demain, il sera légitime pour accompagner la diversification de notre mix énergétique, afin de ne pas dépendre d'une seule technologie.

C'est pour cela que je ne me suis jamais retrouvé dans les solutions toutes prêtes des doctrinaires, colbertistes d'un côté, ou libéraux de l'autre. Pour les premiers, l'État oriente, décide de tout, dirige et exécute : ce sont des nostalgiques du plan Calcul.

Pour les autres, il n'existe aucun échec de marché et la meilleure politique industrielle serait de ne pas en avoir. Pour ma part, je ne crois ni à l'une ni à l'autre de ces solutions : ni à l'efficacité contestable de la première, ni à la pureté dangereuse de la deuxième.

Juste protection et respect des règles donc, c'est cela le rôle de l'État pour que nos entreprises puissent investir dans l'avenir. Le défi est de taille. Depuis dix ans, la France se débat avec les séquelles de la crise ouverte en 2008. Nous avons été obsédés, souvent à juste titre, par le court terme, les déficits commerciaux ou budgétaires, les taux de marge ou d'intérêts. À bien des égards, ces indicateurs s'améliorent : nous avons réduit notre déficit budgétaire et considérablement amélioré notre compétitivité. Mais, en réalité, cela fait trente ans que nous naviguons à vue dans la mondialisation, et que nous n'avons pas su trouver la place qui devrait être la nôtre – celle d'une économie de l'excellence, de l'entreprenariat et de l'innovation, à l'avant-garde des grandes transformations numérique, culturelle et écologique.

Chapitre VII

Produire en France et sauver la planète

Si nous voulons réussir dans le XXIe siècle sur le plan économique, nous devons aussi apporter notre réponse au défi écologique. Comment faire vivre plus de dix milliards d'êtres humains sur notre planète sans la dégrader et sans sacrifier notre niveau de vie ? Ce sujet n'en est pas un parmi d'autres, ni une case qu'on doit cocher dans un programme. Il est devenu central. Il est au cœur de notre quotidien parce qu'il concerne notre alimentation, notre santé, nos logements, nos moyens de transport. Il bouscule notre modèle de développement et plus fondamentalement la pérennité de notre civilisation.

Le combat pour l'environnement est avant tout politique. De même que certains avaient voulu ignorer, au siècle précédent, le fossé qui s'élargissait entre classes sociales, il existe encore aujourd'hui des climato-sceptiques qui, par conviction ou par calcul, nient l'existence même du réchauffement climatique. Aux États-Unis ou en Europe, certains chefs d'État ou candidats à l'être défendent ouvertement une telle thèse : à les entendre, nous pourrions continuer de vivre, de consommer et de produire comme nous le faisons aujourd'hui. Les meilleurs experts pourtant, comme Jean Jouzel, sont clairs et jamais démentis.

Il faut continuer de sensibiliser, d'expliquer, de montrer que nous n'avons plus le choix et que nous devons urgemment accélérer la transition qui a démarré.

Au niveau international, il y a d'abord la nécessaire définition des objectifs à atteindre pour inverser la hausse continue des émissions de gaz à effet de serre. Un premier pas a été fait lors de la COP21, qui s'est tenue à Paris l'an passé, et qui a permis de fixer un accord pour limiter à deux degrés le réchauffement climatique à l'horizon 2100.

Qu'on ait pu aboutir à ce consensus témoigne du fait que nous sommes de plus en plus nombreux à penser que notre planète est bel et bien en danger et qu'il faut agir. Depuis le début de l'ère industrielle, la température terrestre moyenne a en effet augmenté de un degré, avec les conséquences que l'on peut déjà constater : chaque année est plus chaude que la précédente ; nous dépensons encore plus d'argent pour extraire les dernières gouttes de l'énergie du passé que pour améliorer celle du futur ; un septième continent, fait de plastique, a comme surgi des eaux ; d'un côté, nous gaspillons le tiers de la nourriture que nous produisons et, de l'autre, l'obésité progresse ; les appareils que nous utilisons pendant une année ou deux mettront des siècles à se dégrader naturellement. Et cette tendance ne fait que s'accentuer. Si rien n'était fait pour réduire les émissions de gaz à effet de serre, la température moyenne du globe pourrait donc s'accroître de plus de quatre degrés d'ici 2100, ce qui se traduirait par une élévation considérable du niveau de la mer, la disparition d'un certain nombre d'îles, voire de pans entiers de pays comme le Bangladesh, la multiplication d'événements météorologiques extrêmes.

Les conséquences environnementales seraient terribles. Les conséquences sociales ne le seraient pas moins, puisque le nombre de réfugiés climatiques pourrait atteindre plusieurs centaines de millions, avec des conséquences sur les migrations, et la paix dans le monde : à titre d'exemple, la Syrie a connu entre 2006 et 2011 la pire sécheresse jamais enregistrée de son histoire. Attribuée au changement climatique, elle est considérée comme l'un des facteurs de la guerre. N'oublions jamais que le défi climatique menace d'abord les plus fragiles, les plus pauvres, les plus jeunes et les générations à venir.

Les records de température atteints en 2016, qui sera sans doute l'année la plus chaude jamais enregistrée dans l'Histoire, nous rappellent l'urgence d'agir. C'est pourquoi je suis de ceux qui saluent le travail que la France a réalisé pour parvenir à l'accord de

Paris, qui a permis une mobilisation extraordinaire de toutes les composantes de la société, partout dans le monde : États, entreprises, syndicats, associations, collectivités, mouvements religieux.

Il n'en reste pas moins que tout demeure à faire. C'est encore plus vrai depuis l'élection de Donald Trump. L'Europe doit se faire entendre dans le débat mondial pour que les engagements d'ores et déjà pris au titre de la COP 21, y compris par les États-Unis, soient respectés. Cela d'autant plus que ces engagements ne permettent pas de nous mettre sur une trajectoire compatible avec l'objectif de deux degrés et doivent être revus à la hausse. Une mobilisation internationale équivalente est nécessaire pour protéger la biodiversité, les océans, dans la continuité de l'adoption du nouvel agenda de développement durable. Et notre pays a, là encore, un rôle majeur à jouer. Nous disposons du deuxième espace maritime mondial. Nous sommes le seul pays européen classé parmi les dix-huit pays les plus riches de la planète en matière de biodiversité, et l'un des dix pays abritant le plus grand nombre d'espèces menacées au monde. Enfin, nous sommes présents dans toutes les instances centrales de la gouvernance mondiale : du G7 au G20, en passant par le Conseil de sécurité de l'ONU.

Cette action nous devons la porter et la défendre. Regroupons les services de l'État compétents sur ce sujet et localisons-les dans nos territoires d'outre-mer, qui sont le plus beau lieu pour porter ces enjeux. La France de la biodiversité et du climat, cette France planétaire, c'est dans nos territoires d'outre-mer qu'elle est présente et réelle au premier chef. C'est donc de là que nous devons mettre en place notre organisation et porter notre message. Pas depuis Paris.

Encore faut-il pour cela que nous soyons nous-mêmes exemplaires. C'est pourquoi je veux placer la nouvelle écologie au cœur de la politique qui sera menée en France au cours des prochaines années, et au cœur des politiques que développera l'Union européenne.

C'est ainsi que nous serons légitimes pour nous faire entendre du reste du monde. Et je suis optimiste. La nouvelle écologie que nous devons mettre en place n'est nullement contradictoire avec la nouvelle économie que nous souhaitons promouvoir. Elle est même l'une de ses composantes essentielles. Elle représente une opportunité économique pour les entreprises qui sauront apporter des réponses nouvelles, construire des maisons qui consomment moins d'énergie qu'elles n'en produisent, développer l'agriculture biologique, etc. C'est pour ce faire que des investissements publics ou des accompagnements sont nécessaires. Une opportunité aussi pour notre société parce que ces solutions nous permettront de mieux manger, d'être en meilleure santé, de respirer un air moins pollué... de mieux vivre tout simplement.

Loin d'être contradictoires, l'impératif économique et l'impératif écologique seront, dans l'avenir,
de plus en plus complémentaires.

Tout le monde connaît l'aventure de *Solar
Impulse*, cet avion qui a réalisé le tour du monde
grâce à une énergie exclusivement solaire. On sait
moins que ce sont les avancées scientifiques dans la
chimie nouvelle qui l'ont rendue possible. La France
dispose de tous les atouts pour être un leader mondial de l'innovation environnementale.

Demain, ce qu'il est convenu d'appeler les *clean-
tech* seront l'un des piliers majeurs de l'économie
mondiale.

Le coût de fonctionnement des technologies
solaires photovoltaïques a diminué de plus de 80 %
depuis 2009 et devrait connaître une chute d'environ 60 % d'ici 2025, faisant du solaire photovol-
taïque le mode de génération d'électricité le moins
coûteux qui soit. Du point de vue des énergies
renouvelables comme l'éolien, le solaire, on sait
qu'un des problèmes fondamentaux qui est posé,
est celui de leur transport sur de longues distances
et la question de leur stockage. Mais ces sujets sont
précisément au cœur des travaux en cours dans
toute une série de grands groupes et de *start-up* à
travers le monde. Et la France en compte parmi les
meilleurs.

En outre, la mer est et sera, de plus en plus, un
des lieux de notre transformation énergétique. Les
énergies marines renouvelables vont continuer à

se développer et permettre une diversification de notre production.

En matière d'efficacité énergétique, on sait que l'effort principal est d'abaisser les consommations d'énergie des bâtiments en les isolant et en les équipant de moyens de chauffage performants. Les progrès sont en cours : les chaudières à condensation sont devenues la norme, les rendements des pompes à chaleur et des chauffages au bois se sont considérablement accrus tandis que les entreprises du bâtiment œuvrent à rendre plus facile l'isolation des toitures et des façades.

Nous sommes en train de changer d'époque. Hier fondée sur le pétrole, elle est, elle sera, de plus en plus fondée demain sur la propulsion électrique, que ce soit en matière de transports en commun ou de déplacements individuels. On voit bien l'extraordinaire développement des véhicules électriques, avec une diversification des modèles, une augmentation grandissante de l'autonomie des batteries et une division par deux de leur coût en moins de dix ans. L'innovation est aussi en cours dans les usages, avec les outils numériques qui permettent de partager les véhicules et les vélos et de mieux planifier nos transports.

La nouvelle économie écologique portera sur notre capacité à restaurer nos sols, nos rivières, voire nos océans aujourd'hui abîmés par de véritables îles de plastique. Tout comme la qualité de l'air, celui que nous respirons dans nos logements, dans nos bureaux. Du fait de la pollution atmosphérique, l'espérance de vie d'une personne de trente ans, est réduite de quinze mois en agglomération et de neuf mois en zone rurale en moyenne, et le coût de la pollution de l'air en France est évalué par certaines études à plus de cent milliards d'euros par an.

Nos usines elles-mêmes ont déjà largement entamé leur transformation. Au cours des vingt dernières années, dans un pays comme la France, ce sont elles qui ont le plus réduit leurs émissions de gaz à effet de serre. Et leurs émissions de particules toxiques comme le soufre ou la dioxine ont quasiment disparu. L'usine du futur nous permettra de franchir de nouvelles étapes, en transformant la chaleur en source d'énergie pour les réseaux de chaleur de nos villes, en redécomposant les produits de consommation obsolètes pour leur donner une nouvelle vie, bref en dessinant cette économie circulaire qui ne rejette rien mais recycle tout.

La France, parce qu'elle compte dans ses rangs des chercheurs de très haut niveau dans les sciences chimiques, physiques et biologiques, parce qu'elle dispose aussi d'un tissu entrepreneurial dense et mixte, constitué à la fois de grands groupes, de PME en forte croissance et d'un réseau de *start-up* particulièrement performant, a tous les atouts pour s'imposer comme une des places fortes de ces technologies propres. Il est donc temps de donner aujourd'hui à l'ensemble des partenaires économiques une impulsion politique forte, le signal d'une grande mobilisation nationale au service des technologies vertes.

Et il faut veiller à ne pas faire l'impasse sur ce moment décisif. Au tournant des années 2000, nous avons manqué le virage des nouvelles technologies de l'information et de la communication, de cette révolution numérique aujourd'hui gouvernée par les grands groupes américains. Dans les cinq ans à venir, nous devons nous donner les moyens de compter parmi les champions mondiaux des *clean-tech*. C'est un enjeu pour la planète et pour notre souveraineté industrielle. On ne pourra pas produire en France comme avant. À la clé, ce sont des millions d'emplois et des milliards d'économies.

Par ailleurs, la place financière de Paris est en train de se doter d'une stratégie et de règles du jeu susceptibles de la transformer en leader international de la finance verte. Dans cette perspective, je pense que l'Europe aurait tout à gagner à se doter d'une fiscalité environnementale qui valorise les comportements vertueux, ceux de nos concitoyens comme ceux des entreprises, et permettrait d'alléger la fiscalité du travail.

Cette nouvelle écologie marquera d'autant plus notre monde que le XXIe siècle sera, de plus en plus, le temps des villes. Or les villes ont un rôle majeur à jouer pour relever les différents défis écologiques. Et, en la matière, nous avons des atouts à faire valoir.

D'abord parce que nous pouvons nous appuyer sur un modèle historique qui, avant même que le mot soit inventé, est celui de la ville durable. À la différence de la plupart des villes américaines ou asiatiques, les cités européennes sont denses, elles ne se sont pas construites autour de l'automobile et de l'étalement urbain.

C'est dans la ville dense que l'on peut mettre en place des modes de transports collectifs décarbonnés et constituer des réseaux d'énergie intelligents. Aujourd'hui, nos pays sont donc souvent à l'avant-garde dans la constitution de réseaux intelligents, dans la construction de quartiers entiers à énergie positive, dans le développement de systèmes de voitures ou de vélos en autopartage, ou tout simplement dans une nouvelle organisation qui favorise le déplacement du promeneur ou du piéton.

Cette ville-là est plus sobre. Mais elle est aussi plus humaine. Elle favorise la rencontre, crée de nouveaux liens entre les habitants. Loin d'être une écologie de la contrainte, la nouvelle écologie que nous voulons développer est une écologie du plaisir, d'un plaisir retrouvé à vivre dans une ville apaisée. Les citoyens qui l'habitent en deviennent d'ailleurs, chaque jour davantage, des acteurs. On le voit au travers des communautés qui se forment pour réguler leur consommation d'énergie ou pour construire, en ville, des jardins partagés.

La France bénéficie d'un savoir-faire et de champions mondiaux dans le domaine de la ville durable. Ce n'est pas un hasard si Paris a le réseau de métro le plus dense au monde et si Paris et Lyon ont été parmi les premières à ouvrir la voie aux vélos partagés.

Cette transformation doit bénéficier à tous et, en particulier, aux plus modestes. En aucun cas cette nouvelle ville intelligente ne doit devenir le seul paradis de ceux qui ont les moyens d'y vivre. Cela impose un investissement dans les transports publics, le désenclavement des quartiers les plus populaires et un investissement public et privé dans l'aménagement urbain. Cette nouvelle ville intelligente doit permettre aux plus modestes de se déplacer à moindres frais et de vivre dans de beaux endroits.

Cette nouvelle écologie permet aussi de transformer nos campagnes. Elle peut être un facteur de fort développement pour notre agriculture si, là encore, nous savons en saisir l'opportunité. D'abord parce que la diversification d'activités, en particulier vers la production et la valorisation énergétique, est une source de revenus qui ira croissant pour les agriculteurs. Ensuite, parce que la multiplication des crises conjoncturelles (lait, viande, céréales, etc.), sanitaires (vache folle, grippe aviaire), environnementales (pesticides, nitrates), témoigne d'un modèle agricole en crise. D'un côté, les agriculteurs souhaitent, comme tous les Français, pouvoir vivre de leur travail, simplement. Ils ne demandent pas toujours plus d'aide, ils souhaitent que leur travail puisse être rémunéré au juste prix. De l'autre côté, les consommateurs sont en attente d'une alimentation plus saine et équilibrée. Ils comptent sur les agriculteurs français pour la leur apporter. Demain, nous devons construire un nouveau pacte entre la société et le monde agricole pour permettre au plus grand nombre d'accéder à une alimentation de qualité, à des prix accessibles, mais qui garantissent un revenu à nouveau décent aux agriculteurs. Ce pacte social supposera une agriculture à la fois plus compétitive et plus durable. Je crois que ces exigences ne sont pas contradictoires. Mais il faut permettre à nos agriculteurs et à l'industrie agroalimentaire de prendre ce tournant. Il faut veiller à ce que la grande distribution joue le jeu aussi.

Pour cela, nous devons mieux réguler les différentes filières, au travers de contrats qui permettront de déterminer le juste prix : celui qui permet au producteur, au transformateur et au distributeur de vivre et d'investir ; cela suppose une transparence sur toutes les marges et des accords pluriannuels qui permettent à chacun de voir venir et de ne pas subir la volatilité des prix. Chacun doit comprendre que de notre agriculture dépendent notre souveraineté alimentaire et donc notre avenir.

Dans ce contexte, la nouvelle politique agricole commune (PAC) de 2020 constituera un rendez-vous important pour mettre en place une régulation plus efficace, qui permette de faire des progrès dans la protection contre les fluctuations trop fortes des prix.

Les pratiques doivent aussi changer. Les agriculteurs doivent davantage s'impliquer en aval et valoriser leurs produits. Il faut les y aider et les encourager. Ainsi à quelques kilomètres de Château-Thierry, dans l'Aisne, j'ai rencontré le responsable d'une exploitation familiale de porcs et de volailles qui aurait dû fermer depuis longtemps. Avec cinquante truies et la violence de la crise ces dernières années, il n'avait aucune chance. Mais il a investi dans la qualité, a décidé de transformer lui-même ses produits et de les vendre en circuit court. Aujourd'hui, non seulement il vit, mais ses trois enfants vont pouvoir reprendre l'exploitation en continuant à la diversifier.

Cette transformation, des viticulteurs l'ont déjà conduite, en remplaçant la production de masse, qui était par exemple celle de la viticulture du Midi, par des appellations d'origine contrôlée (AOC). Des viticulteurs qui étaient en train de tout perdre ont retrouvé une nouvelle dynamique économique, entraînant d'ailleurs dans leur sillage un renouveau touristique. Ce que l'on a fait pour la viticulture, il faut le réaliser pour l'ensemble de nos filières qui s'imposeront ainsi tant auprès des consommateurs français que des consommateurs étrangers. Récemment, l'Unesco a classé le repas gastronomique des Français comme relevant du patrimoine mondial de l'humanité. Autour de cette image de marque, des débouchés sont possibles pour tous les produits de notre agriculture si nous sommes capables de les faire monter en gamme. Là encore, comme dans tous les domaines, la production française ne se décrète pas, elle se gagne.

Les Français sont parmi les citoyens les plus préoccupés par l'avenir de notre planète, mais lorsqu'il s'agit de changer d'habitudes, ils sont à peine dans la moyenne européenne en termes de recyclage ou de rénovation énergétique des bâtiments.

L'écologie ne peut pas se réduire à des débats d'experts ou des grandes conférences internationales. Elle se vit d'abord au quotidien dans les décisions et les initiatives que prennent tous les jours les ménages, les entreprises, les collectivités locales, les ONG : recyclage, choix de consommations avec des produits certifiés durables, approvisionnement en matières premières durables, fabrication de produits écoconçus, réparables plutôt que jetables, choix de mobilité, travaux d'isolation. Les pouvoirs publics ont la charge de créer les outils et les incitations, mais ils ne peuvent décider à la place de chacun des acteurs.

Il faut permettre à chacun de trouver une façon de s'engager, en ayant confiance dans les décisions publiques.

Chapitre VIII

Éduquer tous nos enfants

Investir dans notre avenir et produire au xxie siècle, c'est le cœur du renouveau productif. Pour redresser le pays et permettre à chacun de trouver sa place dans la grande transformation à l'œuvre, l'École est le combat premier.

Car nous devons refuser tout ce qui conduit à l'assignation des Français à leurs différentes origines. Ce refus, c'est la voie française, celle qui a fait notre grandeur. Mais au-delà, nous devons nous battre pour que l'accès au savoir et à la culture soit mieux partagé.

Durant le siècle dernier, nos écoles, nos collèges, nos lycées, nos universités et nos grandes écoles n'ont pas démérité. La France n'est pas devenue par hasard une grande puissance scientifique, techno-logique, commerciale, militaire, culturelle et poli-tique. C'est parce que les Français étaient très bien formés que nous avons connu une réussite excep-tionnelle sur une si longue période. On a permis l'accès à l'éducation du plus grand nombre, accueilli de nouveaux publics, fait progresser de façon considérable la proportion de bacheliers et de diplômés de l'enseignement supérieur dans notre pays.

Sauf que, aujourd'hui, les résultats de notre école sont devenus médiocres. Notre système éducatif maintient les inégalités, voire les accentue, au lieu de les réduire. Les élèves français manquent de confiance en eux et dans l'institution. Leurs parents sont anxieux. Surtout, les enseignants se battent dans l'indifférence d'un système bureaucratique qui ne sait plus reconnaître ni leurs efforts ni leurs mérites.

Un cinquième des élèves quitte l'école primaire sans savoir lire, écrire ni compter. Les premières victimes de cette hécatombe sont les Français les plus modestes qui se trouvent être souvent issus de l'immigration. Ils ne réussissent pas mieux au collège, ni au lycée, qui a su pourtant développer des filières technologiques et professionnelles, sans que ces dernières aient atteint l'efficacité du système d'apprentissage de nos voisins allemands. Quand on ne sait pas lire et écrire en CM2, les chances sont quasi nulles ensuite de pouvoir se former à un métier et, plus tard, de trouver sa place dans la société.

Notre système d'enseignement supérieur, quant à lui, organise le tri entre les étudiants à fort potentiel et les autres. Les premiers ont vocation à rejoindre les grandes écoles ou les meilleures formations universitaires. Les autres, qui ont le plus besoin d'être accompagnés, s'engagent bien souvent à l'aveugle à l'université dans des cursus auxquels la nation n'a pas consacré l'effort ni l'attention qu'elle aurait dû.

En matière d'éducation, on a lancé beaucoup de fausses réformes, la dernière en date étant celle des rythmes scolaires, qui constituent pourtant un enjeu important pour le quotidien des enfants et le bon fonctionnement des écoles. On a bricolé, en supprimant la formation initiale des enseignants puis en la recréant, sans se poser la question des objectifs visés. On a augmenté puis baissé les moyens, sans produire de résultats ni évaluer les conséquences. La gauche et la droite ont été tour à tour les artisans de cet échec qui fait désormais de la France, cinquième pays le plus riche du monde, une nation aux performances médiocres pour l'acquisition des compétences de base. C'est vrai pour l'acquisition des savoirs fondamentaux en mathématiques, comme de la maîtrise écrite et orale de l'anglais, et de beaucoup d'autres disciplines.

Depuis trop d'années, l'État s'interdit des transformations radicales. Il s'interdit même de poser des questions nouvelles, se privant ainsi de réponses originales et de beaucoup d'efficacité. L'avenir des enfants de notre pays, et particulièrement des plus défavorisés – trois millions de Français vivent sous le seuil de pauvreté – réclame bien plus que des réformes à la marge, qu'un peu plus ou un peu moins de moyens, ou que des discussions sur l'évolution de tel ou tel programme...

Si nous devons organiser une révolution c'est bien celle de l'École. Elle passe par trois combats.

L'école primaire d'abord. Parce que c'est là que prennent racine les inégalités et que l'on peut être le plus efficace pour agir. En France, l'investissement public dans le primaire est nettement inférieur à la moyenne des pays développés. Tant qu'on ne sera pas parvenu à obtenir de meilleurs résultats de notre école primaire, la situation du collège, auquel on demande d'accueillir une population en grande difficulté, ne pourra pas s'améliorer. Commençons donc par l'objectif prioritaire d'une école maternelle et d'une école élémentaire plus performantes et plus justes.

Cela passera par un grand plan de réinvestissement pour notre école primaire, principalement à destination des écoles maternelles situées dans les réseaux d'éducation prioritaire, le dédoublement des classes de CP dans ces mêmes territoires, la formation et l'accompagnement des enseignants – en priorité au profit de certains territoires urbains et ruraux. Cela impose aussi d'investir dans des personnels non enseignants et d'améliorer la médecine à l'école. Nombre d'enfants qui atteignent la fin de l'école élémentaire ne savent pas lire ou écrire parce qu'ils ont des troubles de la vue, de l'ouïe ou des pathologies diagnostiquées trop tard. Repérées dès les premiers signes, elles auraient pu être corrigées et les accompagnements nécessaires auraient pu être mis en place. Ce sera ma priorité et je la financerai principalement en revenant sur plusieurs des dernières réformes inutiles et coûteuses.

La scolarisation précoce, notamment pour les enfants venant des milieux les plus défavorisés, a un effet positif qui n'est plus à prouver sur l'acquisition du langage et d'un vocabulaire plus large, condition première pour accéder à la lecture et à l'écriture. Elle sera développée.

Je tiens aussi à revoir le fonctionnement de la carte scolaire afin de désenclaver les quartiers et lutter contre le déterminisme social et scolaire qui s'installe dès le plus jeune âge. Cela impliquera de redéfinir des règles claires de répartition des élèves, de valoriser les écoles de quartiers difficiles par la mise en place de pratiques pédagogiques innovantes et exclusives, et d'assurer des transports scolaires en conséquence.

Pour ce qui est du collège, nous reviendrons sur la suppression des sections européennes, porte d'ouverture de nos jeunes sur la citoyenneté. Nous rétablirons dans toutes les académies les classes bi-langues anglais-allemand en sixième. Former des jeunes germanophones est stratégique pour la relation franco-allemande, conformément aux engagements solennels pris par le général de Gaulle en 1963.

Après l'école primaire et le secondaire, le deuxième combat concernera l'orientation, avant et après le baccalauréat. C'est d'autant plus urgent à mes yeux qu'elle ne semble pas vraiment préoccuper aujourd'hui les responsables du système éducatif. Aujourd'hui, environ 100 000 jeunes sortent chaque année de notre système sans diplôme ni formation. Par ailleurs, alors que 80 % d'une classe d'âge arrive au baccalauréat, nombreux sont ceux qui se perdent ensuite dans des formations universitaires inadaptées qu'ils abandonnent. C'est un gâchis pour eux et pour la société.

C'est là que se recréent des injustices profondes. Car lorsqu'on vient d'une famille aisée et que les résultats scolaires sont au rendez-vous, on rejoint les classes préparatoires ou les formations sélectives ; sans parler des jeunes de plus en plus nombreux qui partent à l'étranger pour rejoindre une université anglo-saxonne ou européenne. Mais lorsque personne ne peut orienter ou conseiller un jeune, il se retrouve bien souvent sans aucune formation dans une filière universitaire par défaut, alors qu'une filière plus professionnalisante ou une autre discipline aurait mieux convenu. Il faut donc développer massivement nos efforts d'orientation, et cela dès le collège.

Cet effort ne doit pas être construit en partant de ce que le système juge bon ou utile, mais en fonction du potentiel de chaque jeune Français. C'est lui ou elle qu'il faut informer pour lui permettre de choisir librement sa voie. C'est dans cet esprit que je souhaite que soient très clairement affichés, au moment de l'inscription dans une filière universitaire ou professionnelle, les résultats des élèves des trois précédentes années. Savoir combien sont allés au bout, combien ont trouvé un emploi ou poursuivent un cursus supérieur. Seules une telle transparence et une meilleure information des élèves, comme des familles, restaureront les conditions de l'équité.

L'enseignement professionnel doit être considéré comme un atout à part entière de notre système éducatif. Il est concerné au premier chef par cet effort d'orientation. S'il ne se développe pas comme il le devrait, c'est que l'éducation nationale le méconnaît, allant jusqu'à la résistance. C'est aussi parce que le rôle de formation est encore trop peu assumé par nos entreprises. Simplifions les choses : l'État doit définir les programmes et le cadre de l'enseignement professionnel, et la gestion de ces filières doit être transférée aux régions.

L'Université, enfin. Nos universités fourmillent de réussites et de premières mondiales. Nous pouvons nous honorer de prix Nobel et de distinctions prestigieuses dans de nombreuses disciplines. D'innovations de terrain, également, partout dans le pays, qui traduisent une énergie, une envie d'aller de l'avant. Il existe aussi une fierté d'être étudiant « à la fac ». C'est en mettant en lumière tous ces succès que nous donnerons aux étudiants et aux chercheurs, français comme étrangers, le goût de l'Université française. C'est nécessaire pour notre cohésion sociale, et pour notre économie !

Les défis de l'Université ne sont toutefois pas minces. Le nombre d'étudiants explose et ce mouvement va se poursuivre. Depuis 1960, les effectifs de l'enseignement supérieur ont été multipliés par huit. La concurrence internationale s'est exacerbée et n'ira qu'en s'accentuant. L'Asie est désormais un acteur à part entière, du Japon jusqu'à la Chine. Aujourd'hui, la concurrente d'une université parisienne, ce n'est pas une autre université parisienne, c'est l'École polytechnique fédérale de Lausanne, en Suisse, ou la London School of Economics, au Royaume-Uni. Grâce à la révolution numérique, il est désormais possible de suivre un cours du Massachusetts Institute of Technology (MIT) de Boston depuis Paris, sans s'inscrire, sans être étudiant, et à moindre coût. Peu à peu, le marché du savoir se dérégule. Surtout, des pans entiers de l'économie basculent. Des millions d'emplois sont en train d'être transformés, dans les usines, dans les banques et les assurances. Or le taux de chômage que nous subissons est aussi le reflet de notre difficulté à saisir ces nouvelles opportunités économiques. Notre économie restera parmi les premières mondiales à la condition que nos universités s'adaptent et fassent évoluer leurs formations.

Dans ce contexte, si nous voulons réussir, nous devons leur donner davantage d'autonomie pédagogique et de moyens. Protéger les étudiants les plus modestes avec une véritable aide sociale, permettre aux universités de faire contribuer les étudiants les plus aisés, avoir les moyens d'attirer les meilleurs enseignants, d'ouvrir leurs bibliothèques universitaires en soirée et en fin de semaine, comme les étudiants en ont besoin, et comme cela se fait dans nombre de pays étrangers, notamment aux États-Unis. Finissons-en avec ces vieux dogmes. Ils n'ont qu'une victime : notre jeunesse. Nous n'avons qu'un devoir : la faire réussir.

Alors comment y parvenir ? Grâce aux enseignants !

Pour moi, le problème ne réside pas dans une prétendue « crise de recrutement ». Le nombre de candidats aux métiers d'enseignants n'a jamais été aussi élevé. Il est dans le fonctionnement de l'Éducation nationale, c'est-à-dire du mode de gestion des mouvements de professeurs, cogérés entre l'administration et les syndicats nationaux de façon technocratique.

Les règles de mutation, rigides et peu transparentes, ont conduit à une situation insupportable, à la fois pour les enseignants concernés et pour les enfants de territoires déjà défavorisés, comme par exemple la Seine-Saint-Denis : les enseignants titulaires y sont trop jeunes, inexpérimentés, et en nombre insuffisant.

Le nombre de textes réglementaires ne cesse de gonfler, et en particulier les « circulaires »... Les logiques d'accompagnement, d'expérimentation, d'évaluation, de partage de compétences, sont faibles. D'un côté, l'administration du ministère ne peut pas s'empêcher de dire à plus d'un million de fonctionnaires ce qu'ils doivent faire dans les moindres détails ; de l'autre, les conservateurs crient à la rupture de l'égalité républicaine si l'on a le malheur de prononcer le mot « autonomie ». Il est urgent de comprendre que l'uniformité n'est pas un facteur d'égalité : faire pareil pour tout le monde, c'est être certain que seule une petite minorité s'en sortira. Il faut au contraire faire plus pour ceux qui ont moins. Comment peut-on penser sincèrement qu'une école primaire en réseau d'éducation prioritaire, où 60 % des enfants ne savent ni lire ni écrire en CM2, puisse relever les mêmes défis que l'école d'un quartier favorisé ? Faut-il investir de la même manière dans ces écoles, sous prétexte que nous avons la passion de l'égalité ? Ma conviction, c'est qu'il faut donner à la première beaucoup plus de moyens et beaucoup plus d'autonomie. Il faut lui permettre d'essayer ce qui n'a jamais été tenté : attirer les meilleurs enseignants en les payant mieux, augmenter le nombre d'heures d'enseignement. Pour servir l'égalité réelle, il faut donner plus à ceux qui en ont le plus besoin.

Tout tient, en réalité, dans la confiance qu'on accorde aux acteurs de terrain. Ce sont les mieux placés pour rechercher, organiser et financer les innovations les plus intéressantes. Je pense, en particulier, aux nouvelles méthodes d'« e-learning » qui permettraient aux élèves qui ne savent pas lire après le CP, et qui passent en CE1, de combler leur retard.

Dans cette logique, l'autonomie des établissements doit être assumée et servir de nouveau modèle pour l'organisation de l'Éducation nationale. La légitime contrepartie de ce mouvement sera l'émergence d'une instance d'évaluation indépendante et puissante des établissements, sur la base d'objectifs clairs et partagés. Cela signifie que les enseignants pourront prendre plus d'initiatives sur le terrain afin de tester d'autres méthodes, et de les adapter aux enfants dans le seul but de mieux apprendre. Je suis favorable à ce que des moyens importants puissent être dégagés pour des équipes d'enseignants qui souhaiteraient se regrouper et expérimenter des solutions nouvelles, et cela dès la rentrée 2017. Bien sûr, ils rendraient compte des résultats obtenus, mais une grande confiance leur serait accordée. Rien ne s'opposerait d'ailleurs à ce que certains nous proposent de créer des établissements, écoles, collèges, lycées, radicalement nouveaux.

Nous réussirons cette révolution si nous retrouvons le sel de notre engagement républicain. Si nous remettons le métier de professeur au cœur de la République. Mon parcours personnel m'a fait toucher du doigt à quel point transmettre et former est le défi fondateur. Mais quelque chose s'est rompu dans le contrat entre la nation et ses enseignants. C'est une cassure que la droite a laissée grandir. Mais c'est une fracture que la gauche n'a pas su réparer. Elle a même, dans certaines circonstances, cru pouvoir jouer de cette situation et les Français, particulièrement les plus faibles, l'ont bien senti. C'est une faute morale qu'il faut corriger.

Si nous ne prenons pas en compte la situation morale des enseignants, nous n'arriverons à rien. Je veux parler des jeunes enseignants jetés dans le grand bain des zones difficiles, des enseignants inexpérimentés confrontés à des problèmes de discipline, des titulaires d'un doctorat attendant des années un poste de maître de conférences, puis des décennies un poste de professeur des universités.

Ce sont des charges administratives qui s'alourdissent, une relation avec les parents qui se dégrade, une rémunération pas assez régulièrement revalorisée, et cette injonction faite aux enseignants de travailler plus pour gagner autant, voire moins.

Bien souvent, et il faut avoir le courage de le dire, le mal-être des enseignants ne trouve pas sa racine dans la société, mais dans le monde enseignant lui-même : une administration omniprésente, une cogestion complexe, une gestion des établissements où la part entre autonomie et obéissance aux règles venues d'en haut est floue, enfin les incessants changements de programmes et les logiciels ministériels qui décident du sort des élèves bien davantage que ne le font les enseignants qui pourtant les connaissent mieux.

Alors oui, la Révolution à l'École est possible, parce que nous la ferons avec eux.

Chapitre IX

Pouvoir vivre de son travail

Je ne crois pas que la politique doive promettre le bonheur. Les Français ne sont pas dupes : ils savent bien que la politique ne peut pas tout, qu'elle n'a pas les moyens de tout régler, de tout régir, de tout améliorer. Bien plus que viser le bonheur, j'ai la conviction que la politique doit déployer le cadre qui permettra à chacun et à chacune de trouver sa voie, de devenir maître de son destin, d'exercer sa liberté. Et de pouvoir choisir sa vie. C'est avec cette promesse d'émancipation que la politique doit renouer. Mais pour pouvoir choisir sa vie, il faut d'abord pouvoir vivre de son travail.

Car c'est en travaillant que l'on peut vivre, éduquer ses enfants, profiter de l'existence, apprendre, tisser des liens avec les autres. C'est aussi le travail qui permet de sortir de sa condition et de se faire une place dans la société. Je ne crois donc pas aux discours sur la « fin du travail ». En réservant *de facto* l'emploi aux plus productifs, en assumant de rejeter une partie de la population dans les fossés de l'«inutilité» économique, ils ont toujours sonné à mes oreilles comme une défaite éclatante de la plus belle promesse de la République, celle de l'émancipation de tous. C'est pourquoi je suis convaincu que la lutte contre le chômage doit demeurer notre priorité. Et l'exemple de nos partenaires qui y sont parvenus, à commencer par l'Allemagne, montre qu'il n'y a pas de fatalité. Il existe des solutions, mais il faut le courage de les appliquer.

Je ne crois pas que le «plein-emploi» seul suffirait à redonner la confiance au pays. Les exemples donnés par le Royaume-Uni ou les États-Unis, où cet objectif a pourtant été atteint, en témoignent: le *Brexit* comme l'accession au pouvoir de Donald Trump sont des symptômes de la détresse qui traverse les sociétés lorsqu'elles renoncent à l'égalité.

Nous devons donner à chacun un travail, et à chaque travail une rémunération digne et des perspectives.

Où en sommes-nous, aujourd'hui, au regard de cette promesse?

Notre marché du travail est malade à tous les étages. Le taux de chômage s'est installé durablement à des niveaux élevés – il concerne un actif sur dix, un jeune sur quatre et, dans certains quartiers difficiles, une personne sur deux. Des territoires entiers ont basculé hors de l'emploi, alimentant la désespérance et la colère de ceux qui y vivent – formant, ici, le terreau de la radicalisation islamiste et, là, celui du vote Front national. Cette peur se diffuse à l'ensemble de la société – dès l'enfance, nous sommes hantés par le mauvais choix d'études, d'emploi, de secteur, qui pourrait nous faire basculer de l'autre côté. Ceux qui ont un emploi ne sont d'ailleurs pas pour autant sauvés. À côté de ceux qui bénéficient d'un contrat à durée indéterminée stable, il y a ces millions de personnes condamnées à la précarité perpétuelle – 70 % des embauches ont lieu en contrats courts de moins d'un mois, souvent dans la même entreprise. Il y a aussi tous ceux qui ne parviennent plus à vivre de leur travail, comme de trop nombreux agriculteurs ou les travailleurs réduits au temps partiel – en grande majorité, des femmes.

Notre pays a besoin d'avoir des règles qui permettent à chacun de vivre de son travail. Or nos règles actuelles, conçues à la fin de la Seconde Guerre mondiale, ne répondent plus aux défis contemporains.

Elles favorisent les *insiders*, c'est-à-dire ceux qui sont dans l'emploi et plus protégés que d'autres, aux dépens des *outsiders*, c'est-à-dire les plus jeunes, les moins bien formés, les plus fragiles. C'est cela qui fait que notre modèle social est devenu à la fois injuste et inefficace : il favorise les statuts et paralyse la mobilité.

Je veux d'abord garantir que chacun puisse trouver une place sur le marché du travail, quel que soit son parcours scolaire. Il y a aujourd'hui deux millions de jeunes sans emploi ni qualification. Des millions de travailleurs sans diplôme ou presque. Il faut faciliter leur accès à l'emploi sans renoncer à l'importance des qualifications.

Nous devrons ainsi systématiser l'apprentissage pour toutes les formations professionnelles jusqu'au niveau du baccalauréat, concentrer les ressources vers les bas niveaux de qualification et donner plus de poids aux branches professionnelles pour se former au métier choisi.

La plupart des qualifications sont indispensables et nous devons reconnaître leur rôle dans le bâtiment et nombre d'autres secteurs. Mais, parfois, elles bloquent les plus fragiles ou les moins formés en les empêchant de créer leur propre entreprise et de se mettre à leur compte. Or, pour certains, il est plus facile de trouver un client qu'un employeur. Lorsqu'on habite Stains en région parisienne ou Villeurbanne en région lilloise, il est plus simple de créer son entreprise et de chercher des clients que d'avoir un entretien d'embauche. Interdire de le faire en mettant des règles de qualification, c'est condamner ces jeunes ou moins jeunes au chômage.

Je me souviens ainsi de Michel, croisé à Colmar. À cinquante ans, après trente années passées dans une carrosserie sans avoir de CAP, il ne retrouvait pas d'emploi. Trop âgé. Et on lui interdit de monter sa propre entreprise ! A-t-il les moyens de repasser un CAP, ou même le temps ? On le condamne donc aujourd'hui au chômage de longue durée.

Le premier ennemi des jeunes, en particulier les moins qualifiés, c'est le coût du travail. Je ne crois pas que créer un SMIC jeunes soit la bonne manière d'aborder le problème, qui doit être affronté avec lucidité. C'est pour cela qu'il faut soutenir l'apprentissage ; or, l'apprenti perçoit un salaire plus faible, mais bénéficie d'une formation qualifiante qui lui permettra ensuite de s'intégrer dans le monde du travail. Je souhaite ainsi déverrouiller l'apprentissage, alléger la gouvernance du système et donner plus de poids aux branches professionnelles pour définir les formations.

Outre le coût du travail déjà évoqué, il y a le coût de la rupture. Les procédures des prud'hommes aujourd'hui sont longues, complexes, opaques. La grande entreprise, qui a les moyens d'attendre et qui dispose d'un bataillon de juristes pour démêler la complexité du système n'en est pas la victime. C'est le salarié peu formé qui a perdu son emploi et qui attend pendant des mois, parfois des années, d'aller au bout de la procédure pour pouvoir toucher ses dommages et intérêts qui en paye le prix. C'est également le petit patron qui n'avait parfois qu'un ou deux salariés, et qui, attendant le jugement, se refuse à embaucher. C'est pour cela aussi que je me suis battu pour réformer les prud'hommes et continuerai de le faire. C'est pour cela que je mettrai en œuvre un plancher et un plafond pour les dommages et intérêts accordés dans ce cadre.

Dans le même temps, nous devrons défendre le niveau de vie des actifs. Cela dépasse la question du pouvoir d'achat. C'est une affaire de dignité et de considération. Comment accepter la situation dans laquelle tant d'agriculteurs vivent aujourd'hui ? Comment accepter que tant de salariés aient le sentiment que travailler leur rapporte si peu ? Je crois que les promesses, faites d'en haut, d'augmentation incontrôlée et généralisée des salaires, sont mauvaises : elles pénalisent nos entreprises, et au final les salariés, et alimentent en définitive le chômage.

Nous avons une bataille essentielle à mener en faveur du pouvoir d'achat. Il est en effet anormal que la protection sociale, qui bénéficie à tous, repose principalement sur les revenus du travail. C'est une des raisons pour lesquelles tant de nos concitoyens sont étonnés de voir les entreprises se plaindre d'un « coût du travail » élevé quand eux-mêmes ont le sentiment d'être trop peu rémunérés pour leurs efforts.

C'est pourquoi je propose de réduire les cotisations salariales et les cotisations payées par les indépendants. Cela permettra d'augmenter sensiblement les salaires nets, sans alourdir le coût du travail ni détériorer la compétitivité ou l'emploi. Le financement de cette mesure se fera de telle sorte que les travailleurs en seront gagnants.

Pour les plus modestes, une réforme des prestations sociales sera aussi nécessaire. Elles devront être retirées moins vite en cas de reprise d'activité.

Car notre objectif devrait être d'inciter à retourner sur le marché du travail et de soutenir le revenu des travailleurs les plus pauvres, et l'on fait exactement l'inverse !

Se battre pour que chacun puisse vivre de son travail, c'est aussi permettre aux acteurs économiques de faire face aux changements. Or, le législateur ne peut pas les prévoir tous. Comment penser que l'on pourrait régir de la même manière les secteurs de l'agriculture, du luxe, de l'artisanat et de la communication ? Pourtant, en matière de travail, nous continuons de tout organiser par la loi.

Il nous faut plus que jamais de l'agilité et de la flexibilité à tous les niveaux : c'est l'enjeu de la réorganisation de notre code du travail.

Pour pouvoir réussir dans une économie de la connaissance, de la vitesse et de l'innovation, il faut pouvoir adapter en permanence son organisation. S'il craint de ne pas pouvoir le faire, le chef d'entreprise n'embauchera pas – ou pas assez. Pour pouvoir offrir aux salariés le meilleur compromis social possible, selon la conjoncture économique et selon les impératifs du secteur, il faut ouvrir davantage de possibilités à la négociation et au dialogue.

Or, en France, nous avons sur ce sujet des règles trop nombreuses et trop rigides, qui sont définies par la loi et donc homogènes pour tous les types d'entreprises et tous les types de secteurs. Cela n'a pas de sens.

Nous avons observé les conséquences d'une telle approche avec la mise en place des 35 heures. Ceux qui prétendent aujourd'hui qu'il faut repasser de 35 heures à 39 heures vont-ils expliquer à tous les Français qu'ils travailleront tous quatre heures de plus par semaine sans que ces heures supplémentaires ne soient dûment payées ? Là encore, cela n'aurait aucun sens. Pour certaines entreprises, les 35 heures sont parfaitement adaptées. Pour d'autres, ce n'est pas le cas : elles auraient besoin que les partenaires sociaux puissent décider de travailler plus – par exemple pour répondre à des commandes – ou moins – par exemple pour éviter des licenciements.

Dans les situations où la loi le permet, notamment les grandes entreprises de l'automobile ou de la construction navale, travailler un peu plus a permis de sauver des milliers d'emplois. Les mêmes syndicats qui bloquaient la négociation nationale, et s'étaient opposés à ce type de réforme par idéologie, approuvaient alors l'accord dans l'entreprise. Comme ministre, je me suis rendu à Saint-Nazaire pour signer des commandes et la construction d'un nouveau paquebot, là où dix-huit mois plus tôt l'entreprise devait fermer. Elle a survécu grâce à l'intelligence collective des dirigeants et des salariés qui ont su trouver un accord prévoyant, pendant de longs mois, un chômage partiel. Grâce à cela et avec l'appui de l'État actionnaire, l'entreprise a pu être sauvée et repartir rapidement lorsque les premières commandes sont revenues. Elle a aujourd'hui un carnet pour plus de dix ans, ce qui n'était jamais arrivé. C'est bien la preuve qu'il n'y a pas de fatalité !

De la même façon, la réforme créant le compte pénibilité, si elle est une bonne chose sur le principe, ne peut pas être appliquée partout de la même manière. Pour un grand groupe automobile, elle ne pose pas de problème et représente un vrai progrès pour les salariés. Pour une très petite entreprise du bâtiment ou de la boulangerie, elle est quasiment impossible à mettre en œuvre. Elle servira uniquement à complexifier la vie de l'entrepreneur et pèsera lourdement sur l'emploi.

Il faut donc que nous acceptions de sortir de cette idée que la loi doit tout prévoir, pour tous et dans toutes les situations.

Je suis favorable à changer profondément la construction de notre droit du travail et permettre aux accords de branche et aux accords d'entreprise de déroger à la loi par accord majoritaire sur tous les sujets souhaités.

Actons que notre code du travail doit définir les grands principes avec lesquels nous ne voulons pas transiger : l'égalité homme-femme, le temps de travail, le salaire minimum, etc. Et renvoyons à la négociation de branche et, en second ressort, à la négociation d'entreprise, la responsabilité de définir les équilibres pertinents et les protections utiles. C'est ainsi que nous pourrons simplifier les choses de manière claire et au plus proche du terrain, en faisant confiance à l'intelligence des parties. Aujourd'hui, nous reconnaissons que le citoyen peut s'exprimer valablement sur tous les sujets par son vote : pourquoi penserions-nous qu'il ne serait pas apte à se prononcer sur ce qui fait son quotidien ?

Je ne crois pas un instant que nous pourrons construire la prospérité de demain en réduisant de manière unilatérale les droits de tous les salariés. Mais je ne crois pas davantage qu'on puisse réussir dans la mondialisation avec des règles rigides et parfois totalement inadaptées.

Je n'ignore pas les craintes que cette approche peut susciter. Le système français, contrairement aux systèmes allemands ou scandinaves, est peu rompu à cette approche de discussion, de négociation et de compromis. Nos syndicats sont parfois trop faibles, parfois trop peu représentatifs. Pourtant, le dialogue social n'est pas un luxe. Il est au cœur de l'approche que je propose. Non pas le dialogue social national pratiqué ces dernières années. Mais celui, pragmatique, au niveau de la branche et de l'entreprise. Aussi faut-il en tirer les conclusions. Nous devons donner aux syndicats les moyens de la négociation et renforcer leur légitimité. Nous instaurerons donc, pour accompagner cette évolution, un mécanisme clair de financement, par lequel les salariés orienteraient des ressources abondées par l'entreprise vers le syndicat de leur choix.

Enfin, si nous voulons que chacun puisse vivre de son travail dans une économie de l'innovation, il faut que les personnes soient formées, comme il se doit, tout au long de leur vie.

Des entreprises, parfois des secteurs entiers, sont détruits de manière toujours plus rapide : cela ne doit pas être synonyme de condamnation de ceux qui y sont employés, ni au chômage, ni à la précarité. Car en même temps, des professions, des opportunités et des emplois nouveaux s'ouvrent sans cesse : nous devons permettre à chacun, quel que soit son parcours, de s'en saisir. Il n'est plus possible de savoir à vingt ans ce que l'on fera à cinquante. Pour que l'on puisse s'émanciper par le travail, nous devons donc proposer une refonte de la formation continue. On ne peut plus être formé une fois, à vingt ans, pour toute la vie.

Nous ne pouvons pas promettre la « sécurité de l'emploi », dans un monde où les mutations technologiques rendent certains métiers obsolètes et en suscitent d'autres. Un monde de mouvement perpétuel. Nous ne pouvons pas promettre que chaque poste sera en permanence intéressant et productif, car cela n'a jamais été le cas. Ceux qui le prétendent sont des hypocrites, qui nous ont laissé la société d'aujourd'hui.

Mais il y a deux choses que nous pouvons garantir : que l'on puisse évoluer d'un métier à l'autre, et que l'on soit protégé face à la perte d'emploi. C'est au moment des transitions que nous devons le plus bénéficier des solidarités – pour nous aider à franchir ce cap.

Les travailleurs passent de moins en moins leur carrière entière dans la même entreprise ou dans le même secteur. Nous aurons donc, de plus en plus, besoin de périodes de requalification au cours de notre vie.

La formation continue n'est pas adaptée pour cela. En France, on dépense chaque année plus de trente milliards d'euros pour la formation professionnelle. Pourtant, là encore, ce sont les plus fragiles qui ont le plus de difficultés à se former. Notre système est trop complexe. Il faut s'adresser tantôt aux partenaires sociaux, tantôt aux régions, tantôt à Pôle Emploi, pour obtenir le financement de sa formation. L'ensemble des démarches peut prendre jusqu'à un an, et nombreux sont ceux qui abandonnent en cours de route. En outre, la qualité n'est souvent pas au rendez-vous. Et ce système est surtout réservé à ceux qui ont un emploi stable et sont bien formés.

Là aussi, nous devons conduire une véritable révolution. Il s'agit d'offrir à tous un accompagnement personnalisé, avec bilan de compétences, assorti, pour les bénéficiaires, d'une obligation de sérieux et d'assiduité. Nous devons offrir ensuite une large palette d'options – de la formation courte, sur quelques semaines, pour maîtriser une technique indispensable, à une formation longue, sur un ou deux ans, à l'université par exemple, pour permettre de véritables reconversions. Pour ce faire, le système sera plus transparent, doté d'un vrai système d'évaluation et de publication des résultats, en termes de retour à l'emploi et de progression salariale. Surtout, tous les actifs devront pouvoir bénéficier de ressources pour se former et pouvoir s'adresser directement aux prestataires de formation, sans intermédiaire.

Cette formation doit aussi être ouverte aux salariés en poste qui souffrent de l'absence de perspectives et de conditions de travail détériorées. C'est pourquoi nous devons ouvrir les droits à l'assurance chômage aux démissionnaires, pour les accompagner dans une démarche de formation et de requalification. À ce titre, l'assurance chômage changerait de nature. Il ne s'agirait plus, à strictement parler, d'une assurance, mais bien de la possibilité de se voir financer par la collectivité des périodes de transition et de formation : un droit universel à la mobilité professionnelle.

L'assurance chômage doit être également ouverte aux indépendants, commerçants et artisans, surtout au moment où la différence entre salariat et travailleur indépendant s'estompe dans la nouvelle économie de services. Ces travailleurs sont souvent les plus exposés aux risques, aux retournements d'activité. Ils sont, en même temps, les moins protégés par notre système. C'est un paradoxe cruel que nous devons absolument dénoncer.

À l'inverse, je ne crois pas du tout au débat lancé par nombre de responsables politiques sur la dégressivité des allocations-chômage : ôter tant d'euros, ou tant de mois, aux droits existants. De la sorte, ils sous-entendent que les transitions ne sont pas un sujet, que la mobilité professionnelle se fera toute seule et que les chômeurs le sont plus ou moins par leur faute. Je pense au contraire qu'un investissement public massif est nécessaire – mais un investissement au service de la formation et de la qualification, avec en contrepartie la responsabilité de chacun, des contrôles d'assiduité et l'évaluation de la formation professionnelle.

Cette révolution ne veut pas dire, pour autant, étatisation. L'État doit financer – il le fait déjà, sans rien vraiment décider, par la garantie – et être le garant du bon fonctionnement. Mais il doit déléguer largement, comme il a commencé à le faire, les bilans de compétences à des prestataires privés. Il doit déléguer les formations aux régions, aux branches professionnelles, aux universités, aux écoles et aux centres d'apprentissage. L'État sera en charge de les évaluer. La contrepartie, c'est que nous renforcerons les contrôles et les exigences de recherche d'emploi et de formation pour nous assurer de la bonne utilisation de ces fonds. Ce que je veux, c'est un système exigeant de droits et de devoirs. L'équation est claire : au bout d'un certain temps de chômage, qui ne se forme pas n'est pas indemnisé. Et à l'issue de la formation, qui n'accepte pas une offre d'emploi raisonnable n'est plus indemnisé. C'est la seule manière de s'assurer que l'argent est dépensé de manière juste et efficace. Ce sera un levier puissant d'économies.

Mais il ne suffit pas de «vivre de son travail» pour choisir sa vie. Cette promesse ne tient pas seule. Elle doit s'appuyer sur une refonte complète de notre système de protection sociale, à partir d'une idée simple : faire plus pour ceux qui ont moins.

Chapitre X

Faire plus pour ceux qui ont moins

Dans ce monde où tout évolue si rapidement, les Français doivent prendre plus de risques, innover. C'est tout le sens de cette révolution de la formation. Mais cette transformation à l'œuvre fait aussi surgir de nouvelles inégalités. D'un côté, il y a les Français qui profitent de l'ouverture de notre pays sur le monde. Ils ont reçu la bonne formation et possèdent un capital économique et culturel important. De l'autre, il y a les Français les plus modestes et les plus fragiles. Leur destin est lié à la conjoncture économique, ils sont les premières victimes de la concurrence exacerbée et des transformations technologiques, de la précarité et du chômage, des problèmes de santé et du retrait des services publics.

Certaines fractures expliquent sans doute pourquoi notre pays demeure viscéralement attaché à l'égalité. Cet attachement nous distingue de certaines sociétés occidentales, particulièrement les anglo-saxonnes. Nous ne sommes pas prêts à tout sacrifier dans la course à la croissance économique ou sur l'autel de l'individualisme. Nous recherchons un mode spécifique de liberté – une autonomie adossée à la solidarité.

Je crois profondément à une société du choix, c'est-à-dire libérée des blocages de tous ordres, d'une organisation obsolète, et dans laquelle chacun pourrait décider de sa vie. Mais, sans solidarités, cette société tomberait dans la dislocation, l'exclusion, la violence – la liberté de choisir sa vie serait réservée aux plus forts, et non aux plus faibles.

Nous devons donc inventer de nouvelles protections et de nouvelles sécurités. En somme, une réponse aux nouvelles inégalités.

Cette réponse procède pour moi d'un constat simple : l'uniformité – de droits, d'accès, de règles, d'aides… – ne signifie plus l'égalité. Au contraire. L'enjeu n'est plus d'apporter la même chose à tous : c'est de fournir à chacun ce dont il a besoin. Ce n'est pas la fin de la solidarité, c'est au contraire le renouveau de la solidarité. Quand les parcours et les situations sont de plus en plus divers, il est indispensable de sortir d'une approche uniforme, faute de quoi l'intervention publique reproduirait, voire exacerberait les inégalités là où elle devrait les corriger.

Cela passe d'abord par un changement radical du rôle de l'État. Il doit devenir un véritable « investisseur social », qui considère les individus non pas selon ce qu'ils sont, mais selon ce qu'ils peuvent devenir et apporter à la collectivité.

Il ne doit donc pas se contenter d'apporter un filet de sécurité – c'est bien le minimum. Il doit permettre à chacun, où qu'il se situe, de pouvoir exprimer tous ses talents et toute son humanité. C'est vrai pour les plus pauvres, à qui l'on ne doit pas seulement témoigner une solidarité pécuniaire, mais aussi assurer une vraie place dans notre société. C'est vrai également pour ceux qui sont victimes des discriminations, ethniques ou religieuses. On ne doit pas seulement proclamer les droits mais lutter inlassablement pour leur réalité.

Cela passe ensuite par une méthode différente. L'État doit privilégier l'intervention en amont, moins coûteuse et plus efficace. C'est particulièrement criant dans le domaine de la santé où une politique ambitieuse de prévention s'impose.

Cela passe enfin par une généralisation des droits, notamment ceux qui ont trait au chômage ou à la retraite, afin que des régimes particuliers de protection ne créent pas des barrières et des injustices.

Le fait que certains n'aient presque aucune protection et que, à côté de cela, des régimes spéciaux subsistent n'est pas acceptable.

Tous les individus doivent pouvoir bénéficier des mêmes droits.

Pour près de neuf millions de nos concitoyens vivant sous le seuil de pauvreté, qui ont moins de dix euros par jour pour vivre, après avoir payé leurs dépenses courantes, la misère n'est pas un risque, mais une réalité. Et pour beaucoup de Français qui craignent la spirale infernale de la précarité, c'est une inquiétude quotidienne.

Sur cette question, la classe politique se divise en deux grandes représentations, historiquement bien campées. Selon la première, partagée par certains à droite, la plupart des bénéficiaires des minima sociaux seraient des assistés – il s'agirait donc de rendre la vie des plus pauvres encore plus difficile et de tenir un discours culpabilisateur. Selon la seconde, qui irrigue une partie de la gauche, il suffirait de verser un peu de prestations, sans se préoccuper réellement de ceux qui les reçoivent. Je récuse ces deux approches qui organisent, une fois encore, la confrontation au cœur même de la société française.

Il existe aussi une autre tentation, qui traverse la gauche comme la droite, et qui est celle du «revenu universel». Il s'agirait de verser, à tous, sans condition de ressources ni exigence aucune, un revenu permettant d'assurer la subsistance individuelle. Je vois bien en quoi l'idée peut être séduisante, mais je n'y adhère pas. Pour des raisons financières d'abord. Nous devrions choisir, d'une part, entre un revenu universel faible, qui ne répondrait guère aux questions posées par la grande pauvreté, voire détériorerait la situation des plus précaires, et, d'autre part, un revenu universel élevé, mais qui ne pourrait être obtenu qu'au prix d'une formidable pression fiscale sur les classes moyennes. Mais il y a une raison plus fondamentale encore. Je crois au travail, comme valeur, comme facteur d'émancipation, comme vecteur de mobilité sociale. Et je ne crois pas que certaines personnes ont, par définition, vocation à subsister en marge de la société, sans autres perspectives que de consommer le maigre revenu qu'on leur consent.

En clair, je pense que nous devons solidarité, assistance et considération aux plus fragiles.

La solidarité nous oblige d'abord à permettre aux plus pauvres d'accéder à l'aide à laquelle ils ont droit. Un tiers des personnes pouvant bénéficier du revenu de solidarité active ne font pas valoir ce droit. Pourquoi ? Par méconnaissance, pour certains. Par renoncement volontaire, pour d'autres.

L'exigence de considération nous oblige aussi à les reconnaître pleinement et à leur permettre de retrouver une activité dans la société lorsque cela est possible. Cette perspective se décline différemment selon les personnes.

D'abord, il faut être implacable avec les fraudeurs – ils sont loin d'être majoritaires, mais ils existent bel et bien – car, au-delà même du coût financier qu'ils font porter à la société, ils minent l'idée même de solidarité qui nous tient ensemble, en alimentant les dénonciations de l'« assistanat », en faisant porter la suspicion sur tous ceux qui reçoivent légitimement assistance. La fraude sociale, et la fraude fiscale, bien supérieure à la première en termes de montants, minent la confiance de nombre de nos concitoyens dans notre action publique. C'est ce qui justifie une action vigoureuse.

Ensuite, il faut accompagner de manière rigoureuse et personnalisée ceux qui le peuvent vers un retour progressif au monde du travail. Sur ce point, comme sur beaucoup d'autres, le savoir-faire des entreprises de l'économie sociale et solidaire, qui sont les fers de lance de l'innovation sociale dans les territoires, m'apparaît incontournable. Ce savoir-faire mérite d'être plus étendu. Là aussi, un plan massif de requalification, appuyé sur la réforme de la formation continue déjà mentionnée, devrait proposer une véritable rupture, tranchant avec les ajustements à la marge conduits ces vingt dernières années.

Enfin, il faut reconnaître, et comprendre, que certaines personnes sont durablement exclues du marché du travail et qu'elles auront du mal à retrouver un jour un emploi. Elles ont parfois des handicaps, des impossibilités, des parcours de vie extrêmement difficiles. Pour autant, elles ne sauraient être laissées pour compte. Nous avons le devoir de leur proposer, autant que faire se peut, des activités gratifiantes pour elles-mêmes, et utiles pour la collectivité, afin qu'elles se réinsèrent, qu'elles retrouvent une place, une dignité. Trop longtemps nous avons pensé que donner de l'argent à ceux qui ne s'en sortent plus suffisait comme solde de tout compte : nous leur devons davantage.

Construire nos politiques de lutte contre la pauvreté avec les publics concernés serait d'ailleurs la marque de cette considération et une garantie de leur efficacité.

Faire plus pour ceux qui ont moins, c'est aussi durcir notre réponse face aux discriminations. Elles se construisent sur les différences de sexe, d'origines, d'orientation sexuelle, d'opinions, de handicaps ou d'états de santé. Elles sont toutes insupportables parce qu'elles attaquent ce que nous sommes. En outre, toutes les discriminations sont socialement et économiquement coûteuses.

Le premier facteur de discrimination concerne directement, chaque jour, la moitié de la population française : les femmes. Aujourd'hui, en France, notre quotidien change drastiquement selon que l'on est un homme ou une femme. L'exemple du marché du travail est édifiant. Les femmes sont souvent contraintes de travailler moins : elles représentent 78 % des salariés à temps partiel. Elles sont moins bien payées : à un poste comparable et en travaillant la même durée, une femme gagnera 10 % de moins qu'un homme. Elles ont aussi moins de responsabilités opérationnelles : seules trois femmes assurent la direction ou la présidence d'entreprises du CAC 40 (les 37 autres étant par conséquent dirigées par des hommes). Elles entreprennent moins : 30 % seulement des créations d'entreprise sont réalisées par des femmes. Pire encore : elles sont frappées par une insécurité qui leur est propre, qui prend sa source dans les mille et une situations quotidiennes, dans les transports, au travail, dans la rue, et qui les expose à une forme insidieuse et insupportable de harcèlement – c'est un sujet dont nous ont beaucoup parlé les femmes interrogées dans le cadre de la «Grande Marche», la consultation organisée l'été dernier par les volontaires d'*En Marche!*.

Le second facteur de discrimination est celui des origines. Longtemps, nous avons cru que l'antiracisme suffisait pour lutter contre les injustices qui accablent tous ceux qui ne sont pas nés avec la bonne couleur de peau, la bonne religion, le bon lieu de naissance. Cette mobilisation a été très forte dans les années 1980. Elle a constitué une prise de conscience importante, et bienvenue, pour la société française qui tendait à penser les injustices uniquement en termes de classes sociales. Mais elle avait aussi ses limites. Elle s'est révélée souvent excessivement moralisatrice et a été insuffisante pour enrayer la montée des crispations communautaires. Surtout, elle n'a guère amélioré le quotidien des minorités, ethniques ou religieuses, qui s'en sont souvent détournées. La dénonciation des injustices ne suffit pas à elle seule : il faut agir.

Le racisme ouvert est insupportable – mais la discrimination est encore plus insidieuse, et peut-être plus destructrice encore. On peut se révolter contre l'injure, le sarcasme. Mais que faire face à la lettre de motivation qui ne reçoit jamais de réponse ou face aux promotions qui viennent pour tous, sauf pour soi? On se sent désarmés, impuissants. Seuls, on ne peut rien. Des études récentes ont pu démontrer qu'un candidat perçu comme musulman recevait quatre fois moins de réponses qu'un candidat perçu comme catholique. Les pouvoirs publics doivent renforcer et systématiser les contrôles. Les employeurs qui ont des pratiques inacceptables doivent ainsi savoir qu'ils seront repérés et pénalisés. C'est face à cela que la République doit peser de tout son poids. Je suis persuadé que nous n'arriverons à rien tant que chacun ne se sentira pas directement concerné, y compris et surtout celles et ceux qui n'ont jamais eu à souffrir d'aucune discrimination.

Les discriminations envers les femmes ou les minorités ethniques et religieuses ou les personnes en situation de handicap ne sauraient occulter la multiplicité des formes de discriminations. La loi en recense plus de vingt. Face à chacune d'entre elles, nous devons contribuer à améliorer notre arsenal législatif et faire appliquer les textes. En la matière, la loi a ses effets. Par exemple, elle a permis d'augmenter la part de femmes dans les conseils d'administration et de surveillance du CAC 40: entre 2009 et 2015, leur nombre a été multiplié par trois.

Toutefois, en matière de discrimination, la loi ne suffira pas. En parallèle, nous devons développer des politiques volontaristes qui permettront d'aller chasser ces discriminations. Je veux systématiser les politiques de *testing*. Les méthodes consistant à envoyer des centaines de CV, identiques – au sexe, à l'origine ou à la religion près –, pour regarder si certains reçoivent de manière injustifiée moins de réponses que d'autres, sont extrêmement efficaces.

Faire plus pour ceux qui ont moins et, ce faisant, protéger les plus faibles, c'est aussi mieux prévenir la maladie. Car là aussi se jouent de profondes injustices.

Nous nous targuons souvent d'avoir le meilleur système de soins au monde. La réalité, pourtant, est plus nuancée. Si nous avons des chercheurs, des hôpitaux, des professionnels de santé parmi les meilleurs au monde, la santé en France n'est pas aussi performante qu'on le croit et se révèle, surtout, profondément inégalitaire.

Nous ignorons souvent que la France enregistre des résultats médiocres pour toutes les pathologies qui requièrent de la prévention – cancers, cirrhoses... et que les premières victimes de ces maladies proviennent des milieux défavorisés. Deux exemples parmi mille : les enfants d'agriculteurs ont 50 % de caries en plus que ceux des cadres et l'obésité est trois fois plus importante chez les enfants d'ouvriers que chez les enfants de cadres.

Face à cela, je ne pense pas que la solution consiste à opposer l'hôpital à ce qu'on appelle la médecine de ville. Au contraire, partout où cela est possible, il convient de favoriser leur complémentarité et leurs partenariats. Je ne pense pas non plus que la santé soit uniquement une affaire de milliards ou de déficit de la sécurité sociale. Le débat n'est pas de savoir s'il faut augmenter le coût de la consultation de deux ou trois euros – ou pas.

Une nouvelle fois, nous passons à côté des vrais problèmes.

Les sujets fondamentaux sont ailleurs. Il s'agit de savoir comment on s'organise autrement pour que la prévention devienne le principal axe de notre politique de santé. De déterminer les voies et moyens pour vieillir dans la dignité et rester autonome le plus longtemps possible. D'éviter que 73 000 de nos concitoyens meurent chaque année à cause du tabac et que 50 000 autres décèdent à cause de l'alcool.

Là aussi, nous avons besoin d'une révolution. Elle passera par la valorisation prioritaire de l'acte de prévention. Cela veut dire qu'il faut confier à d'autres qu'aux médecins les tâches administratives et inventer de nouveaux métiers pour qu'ils puissent déléguer des missions. Cela signifie aussi qu'il faut faire évoluer notre modèle économique. Le paiement à l'acte ne peut pas être le mode unique de rémunération des médecins généralistes. De nouvelles possibilités de contractualisation seront ouvertes, voire des forfaits pour les publics sensibles, comme les très jeunes et les très âgés, en laissant le libre choix au praticien de s'engager ou non.

Ensuite, je maintiendrai un haut niveau de solidarité pour les dépenses de santé. Nous devons avancer de façon intelligente. Pas en procédant à de petits ajustements annuels pour rester dans les clous ! Il faut penser la réforme non pas par année, comme nous y incite la manière dont est actuellement financé notre système de soins, mais sur plusieurs années. C'est le seul moyen d'engager des réformes de fond et de transformer notre système sur le long terme !

C'est à cette condition que nous pourrons entreprendre la nécessaire refondation de l'hôpital public. Depuis plusieurs années, il traverse une crise de moyens, de productivité et de sens à laquelle nous ne pouvons rester sourds.

Nous devons décloisonner les pratiques et les organisations. La transformation de notre système de santé ne peut pas être gérée uniquement par l'État central. Une nouvelle fois, je suis convaincu qu'il faut donner plus d'autonomie aux acteurs locaux de santé, et notamment aux acteurs régionaux. Ce sont eux qui connaissent le mieux les besoins d'un territoire, les singularités d'une population. C'est exactement ce que j'ai pu voir à Chamonix où une maison de santé a été créée pour permettre aux médecins de mieux travailler ensemble, d'investir dans des infrastructures et dans l'innovation comme la télémédecine. Ou à l'hôpital de Sallanches où un partenariat avec des praticiens privés a été conclu pour maintenir un établissement devenu trop petit et faciliter les sorties rapides des malades afin de réduire les coûts et améliorer leurs soins. Le changement ne sera pas dicté d'en haut. Il sera porté par le bas.

Enfin, les Français ne sont pas égaux face au chômage comme face à la retraite.

Nos régimes de retraite et notre assurance chômage sont emblématiques, l'un et l'autre, d'un système qui a été construit pour un monde où un salarié – un homme – passait toute sa vie dans la même entreprise. Il cotisait pour sa retraite et sa santé, en craignant peu le chômage, en se souciant peu de reconversion, sans connaître la crainte de la précarité et de la concurrence extérieure.

Notre système a évidemment connu de nombreux aménagements au cours des dernières décennies : rien que depuis 2003, nous avons connu quatre réformes des retraites. Pourtant, le système continue toujours de bénéficier, avant tout, aux salariés des grandes entreprises en bonne forme, embauchés avec un contrat stable, menant une carrière linéaire de l'embauche à la retraite. Mais ils sont de moins en moins nombreux.

Nous ne pouvons plus nous contenter de bricolages ou d'une énième discussion sur tel ou tel paramètre pour nous apercevoir que ce système, organisé de manière statutaire, financé essentiellement sur le travail, ne permet plus de répondre à une société qui souffre du chômage de masse depuis plus de trois décennies. Le bon débat n'est pas tant entre ceux qui voudraient passer la retraite à 65 ans ou la laisser à 62 ans, avoir tant ou tant de trimestres, même si ces questions ne doivent pas être éludées au regard des évolutions démographiques, des considérations d'équité entre les générations et de la santé financière de notre système de retraite. L'enjeu n'est pas de chercher à protéger la frontière entre le salarié et le travailleur indépendant pour définir qui peut cotiser à l'assurance chômage ou pas. Les vraies questions que nous devons poser sont plus fondamentales encore. Comment serons-nous efficaces pour ne laisser personne au bord de la route ? Comment pouvons-nous être sûrs que chacun trouve sa place dans une société profondément différente de celle d'hier ?

Alors que le monde du travail s'est considérablement morcelé, en une multitude de situations, d'emplois, de contrats, alors que les parcours professionnels sont moins linéaires, notre système social ne parvient plus à corriger les inégalités, voire les alimente.

Quelle visibilité offre-t-on sur les droits à la retraite de celui qui a travaillé, par exemple, d'abord dans le public, puis dans le privé, puis comme indépendant, naviguant au gré des différentes caisses et des différents régimes ? Comment expliquer à un agriculteur qui a travaillé toute sa vie qu'il touchera une retraite modique de la mutuelle sociale agricole et que son épouse qui l'a aidé chaque jour n'aura rien ? Chacun connaît le cauchemar du « calcul des droits » pour des carrières hachées – et les injustices qui font que ces droits diffèrent sensiblement, à métier égal, selon les statuts dont on a bénéficié. Quelle perspective de mobilité sociale offre-t-on à celui qui travaille en contrat précaire, et qui ne bénéficie pas des perspectives offertes par les grandes entreprises?

Le principe de refondation est donc clair: notre protection sociale doit être reconstruite autour, et pour l'individu, et dans une perspective de généralisation, de transparence, d'égalité. Ce n'est plus le travailleur en fonction de son statut, de sa catégorie, qui doit être protégé, mais chacun d'entre nous, quelle que soit notre situation à un instant donné, et de manière égale, comme c'est déjà le cas, en pratique, pour l'assurance maladie.

Je suis déjà revenu sur la nécessité d'encourager et de protéger les transitions professionnelles. Je voudrais ici insister sur la nouvelle architecture de notre protection sociale qui en découle.

Afin d'encourager les transitions, le système de retraite doit être plus simple et plus lisible. Il n'est pas normal qu'il soit aussi difficile de connaître ses droits et qu'ils diffèrent autant selon les statuts. Les différents régimes doivent être rapprochés en quelques années afin de construire progressivement un régime universel de retraite. La retraite ne devrait pas, à terme, dépendre du statut du travailleur, salarié, indépendant ou fonctionnaire, mais de la réalité de son travail. Et c'est sur cette base que la question de la durée de cotisation doit être posée et non de manière uniforme. Cela sera plus clair pour tout le monde et en même temps plus juste.

Aujourd'hui, il n'est pas non plus logique que, face à un risque aussi largement répandu que le chômage, notre système repose sur un mécanisme d'assurance aussi étroit – car seuls les salariés sont aujourd'hui assurés. Je l'ai déjà évoqué : une généralisation et une transformation en profondeur du dispositif sont indispensables. C'est alors bien d'un système de solidarité dont nous avons besoin, auquel chacun doit contribuer et dont chacun doit pouvoir bénéficier. Ce système couvrirait donc non seulement les salariés, licenciés ou démissionnaires, mais aussi les indépendants. La conséquence en termes de financement est que celui-ci devra reposer sur l'impôt et non plus sur les cotisations sociales. De même les prestations ne relèveront plus d'une logique d'assurance mais de solidarité. Dès lors, le plafond des indemnités, aujourd'hui près de 7 000 €, soit plus de trois fois supérieur à la moyenne de l'Union européenne, sera revu à la baisse. La conséquence en termes de gouvernance est aussi immédiate.

Puisque ce n'est plus telle ou telle catégorie de travailleurs qui sera couverte, puisque la protection sociale sera de moins en moins financée par des cotisations et de plus en plus par l'impôt, l'État devra assumer des décisions stratégiques qu'il a jusque-là déléguées aux partenaires sociaux. Jusqu'à aujourd'hui, c'est en effet aux organisations qui représentent les salariés et les employeurs de parvenir à un accord concernant l'ensemble des conditions d'indemnisation du chômage : le montant, la durée, les contreparties, etc. C'est pourtant l'État qui garantit la dette de l'assurance chômage, sans avoir vraiment son mot à dire sur la manière dont tout cela est organisé. C'est pourquoi je pense que les pouvoirs publics devraient reprendre à leur charge les décisions relatives à l'assurance chômage. Ils ne peuvent continuer à être les garants silencieux d'un système qui dérive avec pour unique option de le bloquer. Ils ne peuvent plus être simplement les commentateurs de compromis... qui ne viennent pas !

En somme, je crois que l'État doit accorder bien plus de place aux partenaires sociaux en ce qui concerne la négociation sociale, la régulation dans l'entreprise et l'accompagnement des actifs, et moins de place en ce qui concerne la gestion du système. Cela sera un rude combat. Car cela fâchera ceux qui en vivent. Mais cela libérera toutes celles et tous ceux qui sont aujourd'hui bloqués. Il n'y a donc pas à hésiter. Ce sera l'un des plus importants chantiers que nous aurons à mener.

Il ne s'agit pas non plus d'être dogmatique. Il n'y a pas de raison de mettre fin, par principe, à la participation des partenaires sociaux à la gouvernance, mais bien de modifier les équilibres actuels. En ce qui concerne la maladie, par exemple, la gouvernance est équilibrée et satisfaisante.

Au cours des années et des décennies prochaines, l'enjeu de la dépendance prendra de plus en plus d'ampleur. D'abord, parce que la population française en général ne cesse de vieillir : en 2050, un Français sur trois sera âgé de 60 ans contre un sur cinq il y a seulement 10 ans. Ensuite, parce que les premières cohortes de la génération des baby-boomers auront 80 ans en 2025. L'allongement de l'espérance de vie est une formidable nouvelle. Mais pour que ce progrès en soit vraiment un, « *il ne suffit pas d'ajouter des années à la vie : il faut surtout ajouter de la vie aux années* ». C'est-à-dire qu'il faut permettre aux personnes âgées de vivre pleinement, de continuer à tisser des relations avec les autres, de s'engager quand elles le souhaitent, de circuler quand elles le veulent, d'être autonomes quand elles le peuvent, de renforcer leur utilité au sein de la société. L'enjeu est donc de permettre à nos anciens de vivre le plus longtemps possible en bonne santé et de préserver leur autonomie.

Il ne suffit pas de nous accorder sur l'objectif : il faudra revoir notre système de solidarité pour faire face à une situation qui nous conduira probablement à un niveau de dépenses supérieur à celui des retraites à horizon 2050. C'est une question qui concerne la société tout entière, les personnes âgées évidemment mais aussi les millions de familles et les millions d'aidants qui assurent la prise en charge au quotidien de nos aînés. L'enjeu est bien de répondre à une situation nouvelle, qui ne relève ni de la retraite, ni de la maladie, et qui nous concerne ou nous concernera directement toutes et tous, sans exception.

Chapitre XI

Réconcilier les France

Le rêve français a toujours été un rêve d'unification. Depuis Paris, l'action de l'État a longtemps cherché à uniformiser, à apporter les mêmes services et les mêmes infrastructures à tous les territoires de France. Mais, depuis plusieurs années, notre pays se fragmente sous nos yeux.

La France, comme le reste du monde, fait face à un phénomène de « métropolisation ». Les grandes villes sont les grandes gagnantes de l'ouverture de notre société : elles concentrent les emplois à forte valeur ajoutée. 50 % du PIB mondial est produit dans seulement trois cents villes à travers le monde, 50 % du PIB français est produit dans quinze métropoles en France, au premier rang desquelles l'Ile-de-France et Paris. De son côté, la France périphérique, au contraire, rassemble 80 % des populations les plus modestes : celles qui subissent de plein fouet les fermetures d'usines, le retrait des services publics, le difficile accès au marché de l'emploi et aux activités culturelles.

En disant cela, je n'affirme pas que nous devons lutter contre le développement des métropoles. Au contraire. Elles sont une chance pour notre pays. Elles sont une source de développement, d'activité, d'emploi, de rayonnement.

Faut-il, dès lors, renoncer au rêve d'une France uniforme, dans laquelle un modèle unique serait appliqué dans chaque territoire ? Je le crois. Regardons la réalité en face : selon que l'on vit à Lyon ou à Cherbourg, en Seine-Saint-Denis ou dans le Cher, la réalité n'est pas la même. Les besoins en infrastructures et en services sont différents. Le temps où Paris pouvait promettre la même chose à chaque département de France est révolu. Désormais, il faut faire en sorte que chaque métropole puisse entraîner d'autres territoires et recréer ainsi de la cohérence.

Mais, en même temps, nous devons considérer que chaque métropole porte une grande responsabilité à l'égard du territoire dans lequel elle s'inscrit. Aujourd'hui, grâce au dynamisme de nos métropoles, aucun territoire de France n'est condamné.

Avec 40 % de la population, elles concentrent 70 % des créations nettes d'emplois privés. Une part importante du développement de la France passera, selon moi, par une complémentarité du couple que ces métropoles doivent former avec nos nouvelles grandes régions.

Essentielles à notre avenir, ces métropoles ont aussi leur face sombre. En attirant des populations qui sont parfois venues de très loin pour échapper à la misère, elles ont tendance à se fragmenter, avec d'un côté des communes et des quartiers riches pleins de vitalité, et de l'autre des communes et des quartiers qui se paupérisent et même se ghettoïsent un peu plus chaque jour. Aujourd'hui, dans nos grandes métropoles, on est trop souvent dans un côte-à-côte qui demain, on le sait, pourrait, si nous ne faisons rien, se transformer en face-à-face.

C'est pourquoi je pense que la première des mesures sociales, c'est de recomposer nos villes pour y réintroduire de la mixité. Car on voit bien que tout s'enchaîne. Quand on vit, enfant, dans un quartier où 80 % des habitants ne parlent pas français à la maison, dans des quartiers qui progressivement se referment sur eux-mêmes, qu'on se retrouve, à l'école publique, entre enfants de la même origine subissant le même retard, on n'a pas les mêmes chances pour construire sa vie.

Oui, aujourd'hui, dans nos grandes villes, la fracture sociale est d'abord une fracture entre quartiers. Et c'est contre cette déchirure que l'on doit lutter. Par des politiques de rénovation urbaine et de construction de logements qui doivent avoir un seul but : faire qu'à nouveau la ville soit un lieu de rencontre.

Cela suppose de mener nos politiques à la bonne échelle. Une échelle nécessairement plus large, donc intercommunale. C'est vrai pour toutes les métropoles. C'est encore plus vrai en Ile-de-France, où la réforme du Grand Paris, selon moi, ne suffit pas à répondre aux problèmes urgents qui se posent à la première région de France.

Une telle recomposition suppose d'y consacrer des moyens importants. Or, le budget de l'Agence nationale de rénovation urbaine a été divisé par plus de deux ces dernières années. Cet investissement doit être complété par des partenariats avec le privé, pilotés par les autorités publiques locales. En matière de construction de logements, d'aménagement des espaces publics, de construction de réseaux, la capacité financière et l'expertise de nos entreprises sont fondamentales pour relever ce défi.

Or, dans les métropoles, si nous voulons recréer de la mixité, et répondre aux nouveaux défis, nous devons construire des logements. Notre politique du logement est obsolète. Elle a été conçue pour les familles d'hier et beaucoup moins pour les Français d'aujourd'hui. Elle a été pensée dans le cadre d'une société sédentaire avec des équilibres territoriaux et familiaux traditionnels. Or, désormais, les Français ne vivent plus de la même façon. Ils doivent déménager beaucoup plus souvent qu'avant, ne serait-ce que parce qu'ils doivent changer plus souvent d'emploi. Ainsi, les besoins de logements explosent. Quand un couple divorce, et que les gardes sont partagées, il faut construire non pas un logement avec deux chambres, mais deux logements avec deux chambres.

Ces dernières années, le taux d'effort des ménages pour se loger s'est considérablement accru : le prix des logements anciens a augmenté de 150 % en vingt ans, alors que le revenu disponible n'augmentait que de 50 %. Ce problème de prix cache principalement un problème de quantité : l'offre est insuffisante pour satisfaire la demande, principalement dans les « zones tendues », comme on dit techniquement, c'est-à-dire notamment l'Ile-de-France, la Côte d'Azur et quelques autres grandes métropoles, où se concentre la très grande majorité des situations de précarité par rapport au logement.

Je veux construire beaucoup plus massivement et beaucoup plus rapidement dans ces « zones tendues ». Pour cela, nous avons d'abord besoin de cohérence. Nous ne pouvons pas continuer de complexifier encore le droit de l'urbanisme, multiplier les règles techniques et allonger encore la durée des procédures. Il faut cesser de tergiverser. Soit la priorité absolue est de construire plus de logements, soit notre volonté est d'accroître encore et toujours la réglementation. Faire les deux, ensemble, c'est échouer sur les deux plans. Pour ma part, je veux tout faire pour construire là où nos concitoyens l'attendent.

Ensuite, nous avons besoin d'une détermination sans faille. On ne peut accepter que, pour préserver des équilibres politiques locaux ou des prix de l'immobilier élevés, des élus locaux ne remplissent pas leur mission. La répartition de la construction en Ile-de-France montre que, dans chaque département, ce sont quatre ou cinq communes qui concentrent l'essentiel des nouveaux chantiers. Or, ces communes ont les mêmes caractéristiques globalement que celles où l'on ne construit pas : le problème est donc politique. L'État doit, dans ces quelques métropoles où se concentre le problème, mettre en œuvre des procédures d'exception afin de libérer le foncier, accélérer les procédures et permettre rapidement de construire, chaque année, les dizaines de milliers de logements supplémentaires nécessaires.

Cet effort de construction ciblé est la seule manière efficace pour répondre, dans les métropoles, à la demande de logements et faire baisser les prix. Cela permettra de réduire les aides publiques massives octroyées ces dernières années. Car en voulant aider les ménages, sans régler le problème de la construction, nous avons alimenté l'augmentation des prix.

Autour de cette France des métropoles et des grandes agglomérations, existe une France souvent qualifiée de « périphérique ». Le mode de déplacement y est la voiture individuelle, ce qui pose problème d'un point de vue écologique et complique la vie de ses habitants au fur et à mesure que s'allongent les trajets domicile-travail dans des itinéraires de plus en plus chargés.

Cette France périphérique manque souvent d'équipements publics de base, de moyens de transport, de crèches, de lieux culturels. Les conditions d'existence peuvent y être de piètre qualité. On connaît le problème que posent certaines zones pavillonnaires aujourd'hui très dégradées, ou ces zones dans lesquelles les maisons s'entremêlent avec les entrepôts et les petites entreprises. C'est cette France-là, qui doute de notre société, rejette le système et adhère peu à peu aux idées les plus extrêmes. Cette France-là a besoin d'un investissement public et privé de rénovation, autour d'intercommunalités plus vastes. Pour reconstruire un tissu qui puisse, aux limites de la grande métropole, mêler de manière harmonieuse ville et nature.

Parallèlement, nous devons conforter la dynamique de la centaine de villes moyennes qui constituent l'armature de notre pays. En particulier les centres-ville de ces communes. On sait en effet que, faute d'avoir pensé un urbanisme commercial à la bonne échelle, on a laissé se constituer dans leur périphérie des centres commerciaux trop importants. Le cœur de ces villes tend donc à se vider de ses commerces. Progressivement, le bâti s'y dégrade, entraînant, à la chaîne, de grandes difficultés. Ces cœurs de ville devraient, au contraire, être le premier lieu du développement économique, avec des PME qui alimentent en emplois tout le territoire de la commune. La « ville-centre » est donc à conforter.

Comme dans les grandes villes, quelques-unes de ces villes moyennes sont confrontées aux problèmes liés aux quartiers en difficulté. Là aussi, il faut y reconstruire une vraie mixité.

J'ai évoqué la France qui gagne des grandes métropoles. Mais toutes nos grandes agglomérations et grandes aires urbaines ne connaissent pas la même dynamique.

Certaines régions, qui étaient marquées par une forte tradition industrielle, s'affaissent depuis maintenant de longues années, parce que les industries qui portaient leur dynamisme sont devenues progressivement obsolètes.

On sait qu'au plus fort de la crise, certaines zones d'emplois du Nord-Est de la France ont ainsi perdu, en seulement deux ans, jusqu'à 10 % de leurs emplois. Et ce déclin, hélas, continue. Avec des conséquences dramatiques : un taux de chômage de plus en plus élevé, et des jeunes qui, parce qu'ils pensent qu'il n'y a plus d'avenir chez eux, quittent leur région, contribuant encore ainsi à l'affaiblir. La situation est plus dramatique encore pour les salariés qui, y ayant acheté un logement en s'endettant fortement, n'ont même plus, du fait de la chute des prix de l'immobilier, la possibilité d'en partir. Sauf à tout perdre.

Dans ces régions, les habitants ressentent un enlisement complet. Comment s'étonner qu'ils aient perdu toute espérance ?

Pour revivifier ces territoires, l'État doit porter l'effort, non en essayant de perpétuer, quoi qu'il en coûte, des industries désormais périmées, mais en encourageant une nouvelle logique de croissance qui soit plus en accord avec l'économie d'aujourd'hui. C'est à partir de la connaissance et du savoir qu'il faut agir. Les villes universitaires, en particulier, doivent être confortées et jouer un rôle décisif dans la formation, en irriguant l'ensemble de la région. La création de nouvelles entreprises doit être favorisée et, par l'innovation, par la recherche de la qualité, par l'introduction de nouveaux processus, un certain nombre de branches industrielles traditionnelles doivent être redynamisées. Aucune d'entre elles n'est vraiment condamnée si on sait les projeter dans une nouvelle modernité.

C'est l'exemple formidablement offert par Besançon. Lorsque Lip ferme au début des années 1970, c'est à cause d'un manque d'investissement et d'anticipation de l'industrie horlogère qui faisait le tissu de la région et qui fut balayée par l'arrivée de la technologie du quartz. Aujourd'hui, il y a plus d'emplois industriels à Besançon qu'à cette époque. Comment cela a-t-il pu arriver ? La ville, le département, l'État, les entreprises, ont investi dans les compétences des salariés et dans l'innovation. Les compétences horlogères, ces métiers de précision ont permis de créer et de développer des centaines de petites et moyennes entreprises dans la région. L'innovation s'est développée autour de laboratoires publics et d'acteurs privés pour faire de cette ville la capitale des microtechniques de la précision.

C'est ainsi qu'il faut concevoir le développement économique. Et cela explique pourquoi, en matière de politique industrielle, je n'ai jamais cherché à défendre à tout prix les entreprises dépassées, mais à en créer de nouvelles, ou à introduire le fondement technologique du renouveau dans les anciennes. Ce ne sont pas les emplois qu'il faut protéger, ce sont les salariés. Il faut donc permettre aux entreprises de muter. Encore convient-il que leurs salariés puissent bénéficier d'une formation professionnelle continue. C'est ainsi qu'ils aborderont dans les meilleures conditions la grande transformation qui est aujourd'hui en cours.

J'aimerais, enfin, évoquer une dernière France, qui se sent aujourd'hui à l'écart du développement des villes : la France de la ruralité. Ou plutôt des ruralités. Ce sentiment d'abandon est-il une fatalité ? Je ne le crois pas.

Il y a d'abord la ruralité choisie. Les Français habitent de plus en plus dans les villes. Mais ils sont aussi amateurs de nature. Pour eux, ces zones ont un pouvoir d'attraction forte. Ils viennent y passer leurs vacances, leurs week-ends. Ils y rénovent des fermes, des corps de bâtiments de villages, jusque-là désertés.

Je crois ensuite à la possibilité de développer une économie productive dans nos campagnes. Cette économie peut être d'abord « résidentielle » fondée sur la rénovation du bâtiment, le tourisme, et sur la valorisation des produits locaux. Elle peut ainsi se projeter bien au-delà à la faveur du développement des nouvelles technologies qui permettent d'abolir les distances. Les services, comme les centres d'appels, ou les services de proximité liés au numérique, doivent s'y développer. L'industrie peut aussi s'y implanter, avec de l'innovation, comme j'ai pu le voir chez Andros dans le Lot à Biars-sur-Cère.

Ces territoires abandonnés doivent être des lieux d'expérimentation. Il faut comprendre que les règles produites de manière uniforme par l'État et guidées par l'esprit de précaution, c'est l'ennemi d'une ruralité qui ne se bat pas avec les mêmes armes. Ces territoires ont besoin de pouvoir prendre des risques, de tenter, d'expérimenter.

Pour la dizaine de départements ruraux qui chaque année perdent des habitants, je souhaite aussi une approche différenciée. Ils ont trop attendu. C'est là que des personnes âgées, des agriculteurs, désespèrent et se sentent abandonnés. Et parce que ces territoires sont au cœur de l'identité de notre pays, leur glissement nous désespère. Pour les infrastructures de transport, chacun de ces territoires, de Guéret à Mende, en passant par Foix, Gap et Aurillac, doit disposer d'au moins un moyen de communication rapide qui les relie efficacement avec les villes et les lieux d'activités indispensables à leur développement. Ces infrastructures nécessaires doivent être construites dans les cinq ans. Pour le mobile et la fibre optique, l'État devra reprendre rapidement la main si les opérateurs ne respectent pas leurs engagements. Pour les soins, l'organisation concrète de maisons de santé autour des centres hospitaliers existants, ou en regroupant les professionnels installés, doit être accélérée. Pour l'énergie, il faudra décider d'une procédure d'exception afin d'accélérer la création de méthaniseurs et d'éoliennes.

Pour les services publics, il faudra veiller à maintenir partout nos écoles et à aller encore plus loin dans l'implantation de maisons, de services publics, à l'image de ce qui a été réalisé par La Poste ces dernières années. Il faut enfin aider les agriculteurs à produire et à aménager ces espaces. Cela passe par un ensemble d'actions pour le foncier agricole, la transmission patrimoniale et la protection contre les aléas climatiques. Dans ces territoires, plus encore qu'ailleurs, le combat que nous devons mener pour nos paysans, et que j'évoquais tout à l'heure, est vital. Et je veux ici parler des « paysans » et pas simplement des agriculteurs. Car ces femmes et ces hommes sont ceux qui font nos paysages, notre pays, qui tiennent notre sol. Et lorsque le désespoir gagne ces terrains, il y a quelque chose du moral collectif qui s'effondre. Nous devons, par la réorganisation des filières, leur redonner une stabilité du juste prix qui permet à la fois de vivre et d'investir.

L'adaptation des politiques publiques aux réalités locales est donc nécessaire pour les territoires de métropole. Elle doit s'appliquer aussi pour les territoires d'outre-mer. On en connaît la diversité : diversité historique et géographique bien sûr, diversité institutionnelle aussi, depuis les départements-régions que sont la Martinique, la Guadeloupe, la Guyane, la Réunion et Mayotte, jusqu'au statut particulier de la Nouvelle-Calédonie, en passant par les collectivités de Saint-Pierre-et-Miquelon, de Saint-Barthélemy, de Saint-Martin, de Wallis-et-Futuna et de la Polynésie française. On connaît aussi les caractéristiques qui leur sont communes : un taux de chômage supérieur à la moyenne nationale en particulier chez les jeunes, un coût de la vie élevé alors même que les salaires y sont plus faibles et, de ce fait, une pauvreté plus grande, un niveau de vie plus bas, un sous-équipement en infrastructures, malgré les investissements consentis après guerre.

L'égalité ne peut signifier l'identité des réglementations quand on se situe à huit ou dix mille kilomètres de l'Hexagone, qu'on est sur des îles ayant des marchés très étroits et contraints, qu'on est entouré de pays à bas, très bas salaires, loin de la zone euro et de ses règles. Je veux que ces territoires puissent avoir des règles qui leur permettent d'innover avec, entre autres, un vrai statut de l'entreprise en outre-mer, un régime social et fiscal qui corrige leurs contraintes et une politique dynamique et incitative pour l'investissement privé dans des domaines innovants comme la biodiversité, les technologies de la mer. Ces territoires ne veulent pas l'aumône de l'Hexagone. Ils veulent de l'équité pour pouvoir réussir aussi, là où ils sont, dans la République.

Parce que la France est une et indivisible et en même temps qu'elle est formidablement diverse, nous devons passer d'une logique d'uniformité et d'homogénéité à une logique différenciée et volontariste. C'est la clé pour tenir le pays ensemble.

Cette même vision de la diversité des territoires me conduit à une nouvelle organisation administrative et politique française. Il faut que l'État puisse décentraliser, déconcentrer, nouer des partenariats nouveaux avec les territoires, développer des politiques qui leur soient adaptées. Dans les grandes régions qui viennent de se former, il serait naturel d'articuler un couple région-métropoles. Concrètement, je crois que sur leurs territoires, les métropoles pourraient le plus souvent absorber les départements.

Dans les territoires ruraux ce n'est pas la ville qui peut porter le développement. Compte tenu de la trop petite taille des villes, des compétences pourraient être transférées aux départements. Peut-être d'ailleurs, pour les plus petits d'entre eux, faudra-t-il les regrouper.

D'une manière générale, il est indispensable de recréer des solidarités entre les territoires.

Sur ce sujet, les vieilles querelles théologiques doivent être dépassées. Pour ou contre le département : tel n'est pas le problème. Là où il existe des zones urbaines fortes, et donc des métropoles puissantes, je ne crois guère à leur utilité. Et, de ce point de vue, le cas de l'Ile-de-France se pose. Dans les zones à dominante rurale, ils doivent au contraire devenir de vraies locomotives du développement territorial.

Je crois surtout que l'organisation territoriale doit être conçue à partir des propositions du terrain. Pensons aux récentes initiatives visant à fusionner les deux départements de l'ancienne région Alsace, ou à créer une Assemblée de Bretagne afin d'obtenir une collectivité unique sur ce territoire. Prenons l'exemple aussi du département du Rhône et de la métropole de Lyon. Nos territoires ont des idées qui permettent de mieux articuler les compétences et de faire des économies. Il nous faut savoir les écouter et les entendre.

Je sais que je brise là quelques tabous. Mais c'est aussi comme cela que l'on réduira la dépense publique. Non pas avec la politique du coup de rabot uniforme, mais en menant une politique gagnante pour l'ensemble de nos territoires.

Dans ce domaine, comme dans beaucoup d'autres, je suis pour la France des acteurs de terrain.

Chapitre XII

Vouloir la France

À l'heure où notre pays doit vivre avec le risque, la violence du terrorisme et les incertitudes du monde contemporain, les tentations sont nombreuses de se contenter d'affirmer l'autorité, la force, le rappel de nos principes. Certains voudraient faire croire que l'autorité se déclare elle-même et suffit à tenir le pays. Les interdits et le maintien de l'ordre feraient le reste, sans plus de vision. D'autres prétendent que la France serait une identité figée, fermée, repliée sur un âge d'or fantasmé.

Il n'en est rien. Notre pays, pour faire face à ses défis, ne peut se tenir uni, réconcilié, que par une volonté. Une volonté qui donne un mouvement, dessine des frontières qui en même temps rassemblent et donnent un sens à ce qui nous dépasse. Oui, la France est une volonté.

La France ne se recrée pas chaque jour à partir de rien. Cette volonté s'appuie sur l'héritage de notre Histoire qui structure nos réponses aux nouveaux défis.

Vouloir la France c'est à mes yeux lutter contre tout ce qui fracture notre pays, le renferme, nous fait courir le risque d'une guerre civile. C'est vouloir la liberté de conscience, une culture commune, une nation exigeante et bienveillante.

Au moment même où nous souhaitons nous projeter dans le monde nouveau, des menaces que l'on croyait révolues ressurgissent. Il s'agit à la fois du retour des agressions extérieures, avec les attaques terroristes, et du spectre des conflits identitaires.

Nous ne devons en rien céder à la panique. À cet égard, la dignité des familles de victimes des attentats successifs fut à mes yeux une leçon constante.

Nous avons un ennemi, Daech. Nous devons le combattre dans nos frontières et à l'extérieur de manière implacable. Mais cela ne justifie en rien de confondre tous les sujets et de nous diviser sur des querelles accessoires.

Le fait que nombre de jeunes et de moins jeunes, nés sur notre territoire, puissent s'enfermer dans un projet de mort totalitaire, procède d'une logique complexe dont nous n'appréhendons sans doute pas tous les déterminants. Gilles Kepel, Olivier Roy et quelques autres, par leurs analyses et leur travail de terrain, ont éclairé cette situation : projet idéologique, religieux et politique de Daech, manipulation de l'imaginaire, fragilités personnelles, névroses parfois, utilisation du ressentiment ou de la haine contre la République enfin. Les ressorts sont multiples et imposent des réponses qui vont au-delà de l'indispensable approche sécuritaire. C'est notre défi de civilisation, posé par ceux qui, sur notre territoire, ont fait ce choix ou sont tentés par ces dérives.

Plus largement, la décomposition sociale que nous vivons alimente le feu identitaire qui, en retour, paralyse notre capacité à agir ensemble.

C'est parce que notre pays n'est pas capable depuis plus de trente ans de régler le problème du chômage de masse, qu'il a laissé de véritables ghettos se constituer dans nos villes, et ne sait plus donner d'espoir à des millions de jeunes – dont souvent les parents eux-mêmes sont depuis des années sans emploi –, que nous avons laissé prospérer le doute, voire la haine de la République. C'est en cela que j'ai plusieurs fois parlé de trahison des élites politiques et économiques. Parce que nous n'avons pas eu la volonté et le courage de regarder les problèmes en face, nous avons laissé les Français supporter les conséquences de notre propre impuissance.

Mais, contre tous ceux qui tiennent boutique de nos angoisses collectives, il faut commencer par rappeler quelques principes.

Dans notre pays, chacun est libre et doit rester libre de croire ou de ne pas croire. Chacun est libre de pratiquer ou non une religion, avec le niveau d'intensité qu'il désire en son for intérieur. La laïcité est une liberté avant d'être un interdit. Elle est faite pour permettre à chacun de s'intégrer dans la vie commune, et non pour mener une bataille contre telle ou telle religion en particulier, encore moins pour exclure ou pour montrer du doigt. Elle est un socle, pas une chape de plomb. Comment peut-on demander à nos concitoyens de croire en la République si certains se servent de l'un de nos principes fondateurs, la laïcité, pour leur dire qu'ils n'y ont pas leur place ?

Mais si la liberté de conscience est totale, l'intransigeance quant au respect des lois de la République, est absolue. En France, il est des choses qui ne sont pas négociables. On ne négocie pas les principes élémentaires de la civilité. On ne négocie pas l'égalité entre les hommes et les femmes. On ne négocie pas le refus sans appel de l'antisémitisme, du racisme, de la stigmatisation des origines.

Il faut être honnête. Si l'intégrisme est à l'œuvre dans les religions, le cœur du débat qui occupe aujourd'hui notre société concerne l'islam. Nous devons aborder ce sujet avec exigence, ensemble, de manière dépassionnée.

Nous avons un choix, et il nous a plusieurs fois été posé dans notre Histoire. Voulons-nous combattre une religion, l'exclure, ou souhaitons-nous plutôt construire sa place dans la nation française, en l'aidant pleinement à s'intégrer ? Nous nous sommes souvent trompés – et notre patrie se souvient douloureusement des guerres de religion, qui ont ravagé ses villes et ses campagnes et ont failli la faire sombrer définitivement.

À l'inverse, nous avons aussi su donner leur place à d'autres religions dans la République. Le judaïsme s'est construit en France dans le respect et l'amour de la République. Bel exemple de ce que notre Histoire et nos choix politiques ont su faire.

Nous ne devons pas tomber dans le piège de Daech en nous précipitant dans le gouffre d'une guerre civile.

Cela, les évêques de France l'ont bien mieux compris que nombre de dirigeants politiques ; la dignité de leur réaction suite à l'attentat de Saint-Étienne-du-Rouvray en fut une illustration parfaite.

Plusieurs propositions ont été faites en vue de revoir l'organisation de l'islam en France, pour permettre aux musulmans d'être mieux représentés, de s'engager davantage dans la vie de la cité. Pour leur garantir aussi de pouvoir financer plus facilement, et de manière indépendante, les lieux de culte et soutenir des prédicateurs respectueux des règles de la République. Je considère que ces propositions vont dans le bon sens, et je m'engagerai donc dans cette direction.

Si nous voulons vraiment organiser l'islam en France, laissons les musulmans installés dans notre pays prendre leurs responsabilités en toute transparence et aidons-les à exercer dignement leur culte. Nous devons aussi les aider en les affranchissant des liens avec des pays étrangers, en coupant les ponts à des organisations parfois occultes et à des modes de financement inacceptables. Surtout, ne cédons rien sur le terrain, comme nous avons pu le faire parfois par facilité.

Menons ensuite ensemble le combat contre l'islam radical, un islam qui veut s'immiscer dans certains quartiers, et qui se pense comme prévalant sur la République et ses lois. Comment faire ? Non pas en proposant de nouveaux textes, de nouvelles lois : nous les avons. Il faut désormais les appliquer, en démantelant les organisations qui prêchent la haine de la République, de nos valeurs, de ce que nous sommes et de ce qui nous tient. Un certain nombre d'associations salafistes mènent partout, auprès des jeunes, une bataille culturelle. Elles occupent le terrain déserté par la République. Elles procurent aide et assistance en lieu et place des services publics. N'ayons pas peur, nous aussi, de conduire une lutte implacable contre elles. Nous avons, sur le terrain, des combattants de cette laïcité, des combattants des droits des femmes, des combattants des règles de la République, et nous n'avons pas le droit de les abandonner. Notre devoir est de les aider car ce sont ces associations qui permettront, en lien direct avec les services publics, de restaurer la République.

Le devoir de l'État et de ses représentants est d'être inflexible. D'exiger, si besoin, la réaffirmation de l'adhésion aux grands principes avant l'ouverture d'un lieu de culte ; de demander explications et comptes sur les prêches inacceptables. Et, au besoin, de fermer ou d'interdire, dans le respect des normes constitutionnelles.

Ensuite, il faut proposer un avenir à ces quartiers que nous avons trop souvent délaissés, soit en concentrant les difficultés sociales et économiques, soit par des politiques qui n'ont traité que les symptômes du mal qui les ronge. Nous avons rénové l'urbanisme. C'était une nécessité absolue et un travail remarquable a été réalisé dans beaucoup d'endroits. Mais nous avons simplement travaillé sur des territoires en assignant à résidence leurs habitants. Nous leur avons dit : « *On va vous refaire le quartier mais pour vous, l'accès à l'école du centre-ville ne sera pas permis, l'accès aux transports en commun et à la culture, ce sera difficile, l'accès à un stage ou à l'université, ça sera très, très difficile, et quant à l'accès à un emploi... Là, il ne faut pas en demander trop* » !

La reconquête positive de nos quartiers est indispensable. Être fermes vis-à-vis des ennemis de la République ne peut être suffisant. Nous devons réinvestir nos quartiers pour redonner aux habitants des opportunités, de la mobilité, de la dignité. Pour leur donner une place, une vraie, et un sentiment d'appartenance à une communauté dynamique et solidaire, unie autour de mêmes valeurs. Cela veut dire de la mobilité scolaire et professionnelle, l'accès à la culture, au divertissement, etc. C'est ce besoin de donner un sens dans certaines expériences religieuses ou politiques extrêmes.

Notre mission sera difficile et prendra du temps, elle sera exigeante pour tous. C'est à mes yeux essentiel, même si l'adhésion à la République et à la religion sont de deux ordres différents. Dans les temps qui sont les nôtres, il est nécessaire de placer l'amour de notre projet commun et le respect des autres, au-dessus de nos croyances quelles qu'elles soient.

En somme, l'équation est simple : ne rien céder aux discours de division ou de haine, et tout faire pour la liberté ; aider l'islam à construire sa place dans la République ; mais ne céder en rien sur nos principes et lutter contre tous les communautarismes.

Mais cela ne peut pas suffire. Notre pays ne peut se tenir debout, avancer avec courage, si nous ne savons pas d'où nous venons. La transmission est au cœur de notre nation. C'est ce qui permettra à chacun de savoir d'où il vient et où il va dans ce monde contemporain où tout s'accélère et où les repères se brouillent. Pour le meilleur, mais aussi parfois pour le pire.

On n'est rien, et on ne devient personne, tant que l'on n'a pas accepté de recevoir. Tant que l'on n'a pas accepté d'apprendre ce que d'autres eux-mêmes ont appris avant nous. On ne construit pas la France, on ne se projette pas en elle si on ne s'inscrit pas dans son Histoire, sa culture, ses racines, ses figures : Clovis, Henri IV, Napoléon, Danton, Gambetta, de Gaulle, Jeanne d'Arc, les soldats de l'An II, les Tirailleurs sénégalais, les Résistants, tous ceux qui ont marqué l'Histoire de notre pays...

La France est un bloc. On ne peut pas à la fois vouloir être français et vouloir faire table rase du passé. Notre Histoire et notre culture, tout ce que les générations précédentes ont à nous transmettre, constituent notre socle commun. Le passé est le début de notre avenir, c'est pourquoi les héros de la République sont toujours nos contemporains : l'instituteur, l'enseignant, le professeur, le maître d'apprentissage, le chef d'entreprise qui, parfois lui aussi, enseigne un geste – tous ceux qui décident de donner du temps à l'autre pour transmettre ce que nous sommes.

Notre culture est ce qui nous rassemble. Elle nous lie. Elle ne doit pas être élitiste, au contraire. Ce sont des portes ouvertes à tous. J'ai plusieurs fois vu ce que l'évocation d'un poème, d'un texte pouvait créer d'émotion et briser des barrières. Celle partagée dans des réunions publiques lorsque j'évoque Gide ou Aragon. Celle que j'ai ressentie en entendant Abd al Malik évoquer Camus.

Cet héritage est notre arme contre la division, c'est notre arme contre la radicalisation, c'est notre arme contre la résignation.

Mais transmettre notre culture, nos émotions, nos émerveillements, c'est un peu plus que cela encore.

C'est retrouver le sel de notre vie ensemble. Nous avons perdu nos habitudes anciennes, celles que, personnellement, j'ai connues chez mes tantes dans les villages des Pyrénées. Cette solidarité du quartier qui interdisait de laisser l'autre seul, ces vieux parents qu'on gardait avec soi. Nous avons laissé au bord du chemin nos attentions les plus innocentes.

Il ne revient pas à la politique de donner un sens à la vie. Et l'on ne voit pas comment la politique, même changée en doctrine du salut, pourrait prétendre se substituer à des cultes, ou même à des croyances. Mais l'homme républicain, lui, ne peut oublier la fraternité. C'est le troisième terme de notre devise, souvent considéré comme le plus obscur, alors qu'il lie ensemble la liberté et l'égalité dans une sorte de bienveillance amicale qui dépasse les barrières de l'origine. Cela, les Français qui se dévouent, s'engagent dans les associations, donnent chaque année pour de grandes causes, le savent parfaitement. La fraternité, qui ne supporte pas l'exclusion, est comme le cœur invisible du projet de la France.

Au fond, quelque chose nous manque. À chacun de nous pris isolément, et à la société dans son ensemble. L'évolution des sociétés occidentales semble nous plonger dans une forme de tristesse résignée. Chacun s'y voit assigner une place fonctionnelle, et peu importe au fond que ce soit au nom du «marché» ou de l'«État».

Le mystère, la transcendance, l'inscription dans l'intime, ou dans la vie quotidienne, d'éléments qui ne se résument pas à l'argent, au rôle social, à l'efficacité, semblent avoir à jamais disparu.

Quelle que soit leur quête personnelle, les Français resteront malheureux s'ils renoncent à faire vivre un espace politique qui les dépasse, celui de la cité. Mais le faire vivre, ce n'est pas seulement voter, ou se présenter aux suffrages, ou élaborer un programme, ou encore le faire appliquer.

La politique doit porter les valeurs qui sont les nôtres. Et ces valeurs ne sont pas seulement des valeurs d'efficacité. Elles sont autre chose. Des vies sont ruinées au nom de l'efficacité économique. Dans des entreprises trop complexes, plus personne ne sait plus qui commande et qui obéit. Ceux qui travaillent, employés, managers, paraissent mus par un système invisible dont personne ne détient les clés. Cette déshumanisation, cette course à l'«optimisation» maximum peuvent conduire à des drames.

Vouloir la France, c'est vouloir ses valeurs. Cette ambition simple est au cœur de notre politique migratoire depuis des décennies. Ce qui fonde l'accueil français, ce n'est pas seulement une générosité ou une tradition, c'est la volonté partagée de construire une destinée commune où l'autre est vu comme un enrichissement, une nécessité profonde. C'est la volonté de l'étranger qui décide de participer à une destinée collective singulière et de l'embrasser entièrement.

Chaque année, deux cent mille étrangers viennent s'installer sur notre territoire. Et parmi eux, près d'un sur deux est né dans un pays européen et trois sur dix dans un pays africain.

S'agissant du sujet particulier de l'asile, nous devons nous organiser pour réformer les conditions d'examen des très nombreuses demandes. Les délais doivent être considérablement abrégés, y compris en refondant le système des titres et l'organisation juridictionnelle. Il faut que les personnes qui ont droit à la protection de la France puissent être accueillies, formées et prises en charge rapidement. Elles y ont droit. Mais au terme de cette procédure plus courte et plus efficace, toutes les personnes qui n'ont pas vocation à rester en France, parce qu'elles n'ont pas droit à l'asile, doivent être reconduites à la frontière.

Je veux le dire de la façon la plus claire, sans faux-semblant : l'humanité dans le traitement des réfugiés, ce n'est pas laisser croire que nous accueillerons tout le monde, tout en accordant des titres au compte-gouttes au terme de procédures qui n'en finissent plus. Quand nous faisons cela, nous sommes en fait d'une rare inhumanité : nous laissons les demandeurs s'installer sur le territoire pendant de longs mois, le temps que leurs demandes aboutissent, puis nous finissons par prendre des arrêtés de reconduite contre la majorité d'entre eux. Entretemps, ils se sont installés, ont parfois eu des enfants ou se sont mariés. Les arrêtés ne sont donc pas mis en œuvre et les personnes basculent dans une situation de non-droit, ce qui fait d'eux des sans-papiers voués à la marginalité. Par manque de clarté dans nos objectifs et d'efficacité dans notre politique, nous aboutissons à l'inverse de ce que notre tradition d'accueil nous commanderait de faire. L'humanité, c'est assumer notre rôle, examiner rapidement les demandes et en tirer les conséquences pour les principaux intéressés.

Nous devons aussi mettre fin au scandale moral et humain de la traversée des déserts et de la Méditerranée. Ici, disons-le : nous sommes en faute. Alors que le droit, notre droit, nous oblige à examiner les demandes d'asile, nous n'autorisons pas les demandeurs à venir légalement en France. Ils y viennent naturellement quand même. Des milliers meurent sur le chemin. Nous portons une part de responsabilité. Les demandes d'asile doivent être examinées au plus près des zones de conflit, dans les pays limitrophes. On dira que les consulats n'y sont pas préparés. Ils devront l'être. C'est une question de dignité et d'efficacité. Tout comme la refonte de l'absurde système de Dublin, qui oblige les États frontaliers de l'Europe à accueillir d'abord les réfugiés, et entraîne, à grands frais, une circulation infernale et douloureuse puisque les réfugiés, qui savent que les pays limitrophes ne les accueilleront pas, finissent toujours par revenir au centre, en France, en Allemagne, en Italie.

Au-delà des réfugiés, il faut faciliter les procédures des personnes qui veulent s'insérer dans notre société. On ne peut pas admettre que des personnes qui souhaitent vivre sur notre sol ou devenir Françaises passent des heures dans des files d'attente, baladées de guichet en guichet, pour espérer obtenir le sésame après six mois ou un an de démarches. À partir du moment où les critères sont clairs, le traitement des procédures doit intervenir en deux à trois mois maximum. Voilà comment je conçois la Nation bienveillante.

Le corollaire de la bienveillance, c'est l'exigence : la France ne peut pas accueillir tout le monde sous n'importe quelles conditions. Car les valeurs françaises, ces libertés que je viens de décrire, ne sont pas négociables. Jamais. Et nul parmi nous ne peut se draper dans la générosité ou l'altérité pour considérer que l'égalité entre les femmes et les hommes, la liberté de conscience et de culte, y compris la liberté de ne pas croire, sont à géométrie variable. La France est grande quand elle offre ces libertés à ceux qui la rejoignent. Chaque personne qui arrive dans notre pays doit donc s'engager à les respecter, voire à les défendre. Et en retour, chacune doit bénéficier d'une pleine intégration et d'une totale protection, sans constamment voir sa « loyauté » ou sa « fidélité » mise en cause par tel ou tel.

Je ne crois pas que les valeurs françaises soient en passe de disparaître. La France n'est pas faible. Elle n'a pas à défendre ce qu'elle est ; l'affirmer suffira. Ce qui nous manque aujourd'hui, nous donnant cette impression douloureuse d'infidélité à nous-mêmes, ce sont les moyens de rendre de la vigueur, de la couleur, de l'éclat à leur expression politique. Il faut de l'imagination, une volonté continue, de la patience. Il nous faut le goût de l'avenir. Toutes ces vertus sont là, comme endormies, ou paralysées. Il suffirait de peu de chose, en vérité, pour nous réconcilier avec nous-mêmes.

Chapitre XIII
Protéger les Français

Nombreux sont les responsables politiques qui construisent leurs discours sous le signe de la fragilité nationale. Nous l'entendons partout. J'ai, pour ma part, la conviction intime qu'ils se trompent, et qu'avec eux, ils trompent les Français.

Certes, les temps sont durs et l'Histoire est tragique : la France a été touchée par d'odieux attentats ; elle traverse un bouleversement de sa société et elle est déstabilisée par les changements du cours du monde. Mais la France n'est pas un château de cartes. Depuis des siècles et des siècles, nous nous tenons aux premières places du monde. Nous avons surmonté des épreuves incomparablement plus difficiles. Nous disposons d'une démographie dynamique, d'une capacité d'intégration éprouvée, d'un patrimoine culturel inégalé, d'une volonté sans pareil.

Nous nous devons aujourd'hui de rassurer les Français face aux menaces contemporaines. L'État les protège. Car c'est son rôle premier : protéger la liberté de chacun face à la peur.

Nous vivons dans un pays qui lutte résolument contre Daech. À cela s'ajoutent les violences, les incivilités du quotidien depuis plusieurs années et les tensions croissantes dans certains quartiers. Les fronts sont multiples, quoique non comparables, et il nous faut vivre avec le risque permanent.

Parmi les illusions les plus dangereuses du temps présent, il y a celle de croire que nous pourrions éliminer le mal par les barrières, par les déchéances, par le fichage, par les camps, par « *l'oubli ou le mépris des droits de l'homme* » que la Déclaration de 1789 a exposés à la face du monde.

Il y a quelque chose de vain et d'inquiétant dans la foire des propositions qui ont été présentées, à des fins d'ailleurs largement électoralistes, depuis les attentats. Comme dans d'autres domaines, les Français me paraissent manifester, au-delà de leurs inquiétudes, un calme, une force, une résolution qui tranchent avec l'agitation désordonnée d'une partie de la classe politique, surtout celle, mais pas seulement, qui rapproche les idées de la droite classique de celles de l'extrême droite. Dans cet espace âprement convoité, les candidats à la succession de Poincaré et de De Gaulle s'intéressent aux menus des cantines scolaires, à la longueur des tenues vestimentaires, aux modalités d'acquisition ou de retrait de la nationalité française dans une débauche stérile d'inventivité.

Ce faisant, et quels que soient les mérites de telle ou telle proposition – dont on doit pouvoir discuter ouvertement – ces responsables politiques commettent à la fois une erreur politique, une faute morale et un contresens historique.

Un pays – et surtout pas le nôtre – n'a jamais surmonté une épreuve décisive en reniant les lois qui le fondent ni leur esprit. Toute lutte se nourrit d'une fierté, d'une affirmation de ce qu'on est mais aussi de ce qu'il n'est au pouvoir de personne de nous faire renoncer. Sur un plan rigoureusement pratique, l'arsenal antiterroriste est suffisant. Il n'est pas nécessaire d'y ajouter des juridictions d'exception, des camps d'internement ou je ne sais quelle présomption de nationalité. On sait bien d'ailleurs que la diminution des libertés de tous, et de la dignité de chaque citoyen, n'a jamais provoqué nulle part d'accroissement de la sécurité. Les crimes ne sont pas devenus plus nombreux après la suppression de la peine de mort ou la présence de l'avocat en garde à vue. Je tiens ces illusions pour profondément nuisibles, en elles-mêmes et parce qu'elles sont inefficaces. Au bout de ce chemin-là, il y a une France tout aussi exposée au risque, mais dont le visage se serait abîmé dans l'aventure.

J'entends certains qui veulent enfermer toutes les personnes fichées « S » afin de les mettre hors d'état de nuire. Les mêmes nous expliquent, comme pour nous rassurer, que seules les plus « dangereuses » de ces personnes le seraient. Sauf que nul ne dit comment cette dangerosité serait évaluée. Pas plus qu'on ne rappelle que même nos services de renseignement, qu'on ne saurait taxer de laxisme ou d'amateurisme, déconseillent de prendre de telles mesures. Ce n'est pas en faisant des propositions dangereuses qu'on diminuera le danger. Parce que proposer d'incarcérer systématiquement celles et ceux qui sont fichés « S », c'est vider de son efficacité notre système de renseignement, mais c'est surtout passer d'un État de droit à un État de police. C'est à la fois inefficace et non démocratique.

Nous ne sommes pas un pays comme les autres. Sauf à nous perdre, nous ne pouvons pas prendre, dans ces temps si difficiles, une autre voie que la nôtre. La richesse que nous avons à défendre, c'est la marque de la France, sa vertu, son message dans l'Histoire. C'est ce qui fait que dans des moments décisifs, sur des sujets fondamentaux, son message s'entend encore dans le monde. C'est la voix qui dit non à tous ces emportements qui ne servent pas la cause de l'Homme.

Elle est là, l'identité française. Elle n'est pas ailleurs. Je suis frappé du paradoxe par lequel les hérauts proclamés de l'identité nationale se mettent au service d'une cause qui n'est pas celle de la France, mais celle de leurs fantasmes, et qui dégrade la nation.

C'est aussi pour cette raison que nous devons collectivement préparer, dès que cela sera possible, une sortie de l'état d'urgence. Celui-ci était indispensable au lendemain des attentats. Il a permis que des mesures immédiates soient prises dans des conditions qui n'auraient pas été réunies sous un autre régime de droit. Je ne prétends pas qu'il ne doive jamais plus être mis en œuvre si des circonstances dramatiques devaient à nouveau l'exiger. Mais sa prolongation sans fin, chacun le sait, pose plus de questions qu'elle ne résout de problèmes. Nous ne pouvons pas vivre en permanence dans un régime d'exception. Il faut donc revenir au droit commun, tel qu'il a été renforcé par le législateur et agir avec les bons instruments. Nous avons tout l'appareil législatif permettant de répondre, dans la durée, à la situation qui est la nôtre.

Dire cela ne signifie surtout pas qu'il faille se montrer accommodant à l'égard de propos ou de comportements, notamment religieux, qui contreviennent à nos principes. Mais la seule manière de réduire, comme on le dit en chirurgie, la fracture terroriste, c'est de ne donner aucune prise à ceux qui s'en font les avocats. Pour cela nous devons mobiliser la société civile tout entière autour d'un projet fondé sur la confiance. Si cette confiance est trahie, il faut que les sanctions tombent et qu'elles soient dures. Rien ne serait pire, au contraire, que d'enfermer *a priori*, dans le soupçon, des pans entiers de la population française, en réponse à la propagande d'une minorité et aux crimes d'un petit nombre.

Là encore, nous devons nous désintoxiquer du recours permanent à la loi et de la modification incessante de notre droit criminel. Le succès viendra plutôt d'une réforme des structures et des moyens de la police et des tribunaux, avec, au préalable, un examen critique de leurs organisations par la représentation nationale.

Comment assurer la sécurité de chacun, cette liberté première dont l'État de droit est garant?

L'armée ne peut être qu'un ultime recours. Elle n'est pas la modalité naturelle d'encadrement de la jeunesse ni une force de maintien de l'ordre sur le territoire. Sa finalité est le combat. Les appels de nombre de responsables politiques à un engagement toujours croissant des armées en France sont un hommage rendu à ces hommes et à ces femmes qui assument depuis tant d'années, au travers de réformes et de restructurations dont peu d'administrations civiles ont été capables, une charge très lourde, suscitant l'admiration de tous. Reste que l'armée n'est pas faite pour suppléer aux carences du dispositif national de sécurité, ni aux défauts de notre système éducatif. Les missions des armées peuvent être ponctuellement étendues. La réserve opérationnelle peut être développée, dans le cadre d'une réflexion approfondie sur les modalités contractuelles de l'engagement, en termes d'obligations, de durée et d'avantages. Mais il est inconcevable et dangereux que la réserve puisse servir de cache-misère.

Aussi l'opération Sentinelle, qui a conduit à déployer près de 10 000 militaires sur le terrain en France, était-elle une nécessité pour protéger le territoire et rassurer la population. Il n'est ni réaliste ni souhaitable de mettre fin dans les prochains mois à cette opération mais il est nécessaire, d'une part de conserver le format actuel de nos armées même après Sentinelle, d'autre part de préparer rapidement la transition pour faire monter en régime les forces de police et de gendarmerie grâce à des embauches supplémentaires.

Plus largement, en matière de sécurité, nos dispositifs ont été construits à une époque où le terrorisme n'était pas une menace importante pour les Français. Et où les formes de criminalité n'étaient pas les mêmes qu'aujourd'hui. Or, la lutte contre le terrorisme requiert une logique radicalement différente pour agir avec efficacité. Elle nécessite de tisser des liens de confiance avec la population. Elle impose une présence continue des forces de l'ordre dans nos territoires. Elle oblige d'agir au plus près de nos concitoyens, car la proximité est le seul moyen de collecter des informations, de repérer et de suivre les individus dangereux.

En réalité, la lutte contre le terrorisme est d'abord et avant tout une bataille du renseignement, qui nécessite un travail policier minutieux et discret: rien de tout cela ne serait possible si l'on décidait d'enfermer les gens que l'on surveille ou que l'on écoute.

S'agissant du travail des forces de sécurité, nous devons reconnaître que nous avons commis des erreurs par le passé et qu'elles n'ont pas toujours été réparées.

Nous nous sommes trompés, en premier lieu, sur l'organisation des forces de police. Nous subissons aujourd'hui les conséquences de la quasi-suppression des moyens du renseignement territorial. Ce choix a eu des effets délétères, car une partie importante de l'efficacité opérationnelle contre les réseaux terroristes repose sur la capacité à récupérer des renseignements au niveau de la ville, voire du quartier. Il faut donc aller au-delà de la réforme conduite ces dernières années et reconstruire un renseignement territorial pleinement opérant. Par ailleurs, nous n'avons pas su nous organiser pour utiliser au mieux les informations qui circulent sur Internet et les données récoltées dans différents services. Outre les problèmes de coordination entre ces services qui imposent des clarifications indispensables, il faut créer une cellule centrale de traitement des données de masse de renseignement, comme les Britanniques ou les Américains ont su le faire. Cette cellule rapporterait directement au conseil de défense car elle permettrait de centraliser un renseignement informatique de haut niveau, complément indispensable du renseignement de terrain qui suit les individus.

Dans le même temps, nous subissons les conséquences de décisions idéologiques prises il y a plus de dix ans pour supprimer la police de proximité. Contrairement à la caricature qui en a été faite, la police de proximité, qui fut mise en œuvre par Lionel Jospin et Jean-Pierre Chevènement, ne tenait ni de l'utopie laxiste, ni du gadget de communication. Quel que soit le nom qu'on lui donnera, il faudra absolument remettre à l'ordre du jour une organisation policière au plus près de nos concitoyens. Bien sûr, il faudra tenir compte du contexte nouveau : le niveau de violence et de délinquance dans certains quartiers est bien plus élevé qu'il y a vingt ans. Surtout, il faudra veiller à ce que l'articulation entre police et justice soit plus efficace.

Cette nouvelle police de proximité, il faudra lui laisser du temps, la maintenir de façon durable, lui donner des moyens humains et financiers. Il faudra lui permettre de créer avec les Français un lien de confiance. Ce n'est pas faire preuve de faiblesse, mais d'intelligence. Car des policiers – et d'ailleurs des gendarmes – ainsi employés, ce sont des fonctionnaires qui développent une connaissance renforcée de leur territoire, qui ont le temps de collecter l'information nécessaire et qui, le cas échéant, sont en mesure d'identifier en amont les individus dangereux, en voie de radicalisation.

On le voit, ces réformes imposent une réorganisation rapide et des moyens supplémentaires. Au-delà des 9 000 embauches décidées, et qui sont encore en cours, ce sont 10 000 fonctionnaires de police et de gendarmerie qu'il faut recruter dans les trois prochaines années.

Mais cela ne résoudra pas les difficultés pointées par les policiers lors des mouvements spontanés qui ont suivi l'odieuse attaque de Viry-Châtillon.

Nombre de policiers ont le sentiment de travailler dans des conditions difficiles sans avoir les équipements indispensables du fait des contraintes budgétaires permanentes et des brigades qui n'ont pas été renforcées par les augmentations d'effectifs des dernières années. Le sentiment d'abandon de certains quartiers par la hiérarchie elle-même apparaît comme inacceptable pour les hommes et les femmes de terrain.

On retrouve, là aussi, les conséquences directes du manque de moyens de la justice. La réponse pénale n'apparaît pas au niveau car les moyens de la justice et de l'administration pénitentiaire ne le permettent pas, surtout dans les zones les plus difficiles. Ce qui affaiblit la crédibilité des forces de l'ordre sur le terrain. Lorsqu'il est établi, comme c'est le cas dans certaines régions, que le parquet ne demandera pas de mandat de dépôt si la peine de prison encourue est inférieure à deux ans, c'est la crédibilité de toute la réponse pénale qui est mise en doute.

La réponse est bien que les forces de l'ordre, comme les magistrats, puissent se recentrer sur certaines missions : aujourd'hui, ils ne sont pas en

mesure de lutter contre les phénomènes de délinquance à tous les niveaux.

La réponse politique classique est de se prévaloir d'une intransigeance permanente et générale.
C'est évidemment une illusion. La réalité est qu'on
demande toujours plus à des forces de l'ordre, à des
magistrats et à des services pénitentiaires qui sont
aujourd'hui parmi les fonctionnaires qui travaillent
dans les conditions les plus difficiles. On doit renforcer leurs moyens et être intransigeants sur nos priorités : la lutte contre la délinquance et la criminalité,
et l'éradication des zones de non-droit. Mais à côté
de cela, nous devrons ouvrir une réflexion adulte et
transparente sur l'objectif des peines. Qu'attend-
on de la sanction pénale ? Exclure celui qui a trans-
gressé la loi du corps social, pour une durée plus ou
moins longue, n'est pas toujours la mesure la plus
utile socialement. Le vol, par exemple, sans aucune
autre circonstance aggravante, est puni actuellement de trois ans d'emprisonnement : ne pourrait-
on pas envisager qu'il soit plutôt susceptible d'une
mesure de réparation coercitive au bénéfice de la
victime, et d'une amende lorsque le butin est inférieur à une certaine valeur ? De la même manière,
l'usage et la détention de cannabis en deçà d'une
certaine quantité, comme certaines infractions
formelles du code de la route (défaut d'assurance
automobile par exemple), doivent-ils nécessairement relever des tribunaux correctionnels ? On
pourrait tout à fait considérer que le régime des

contraventions serait suffisant pour sanctionner ces comportements.

À cet égard, je refuse de me laisser enfermer dans le discours piégé, fait d'accusations systématiques de laxisme, dès qu'on évoque ces questions. Chacun doit en être convaincu : je n'ai aucune sympathie pour les chauffards ni pour les pratiques addictives. Je dis simplement qu'il faut écouter les professionnels de police et de justice qui, eux-mêmes, expliquent combien il est vain de pénaliser systématiquement la consommation de cannabis, alors qu'une contravention lourde et payable immédiatement serait beaucoup plus économe en temps pour la police et la justice, et bien plus dissuasive qu'une hypothétique peine de prison dont tout le monde sait qu'elle ne sera finalement jamais exécutée.

En contrepartie, je pense qu'il est impératif que les peines, quelles qu'elles soient, soient immédiatement mises à exécution telles qu'elles ont été prononcées. Aujourd'hui, un magistrat qui condamne un délinquant à une peine de prison ferme jusqu'à deux ans sait que cette peine sera d'abord examinée par un autre magistrat, qui envisagera des alternatives à la prison. Quel est le sens de ce système ? Il est incompréhensible pour les victimes, pour les citoyens, de même que pour les délinquants. Une peine de prison prononcée doit conduire l'individu à être placé en détention. Il faut redonner du sens au prononcé de la peine, car il engage la parole de la justice, et donc son autorité. Par ailleurs, ne doit-on pas redonner sa chance à l'idée de prévention, profondément délaissée, en renforçant la présence adulte (éducative, associative) auprès des jeunes des quartiers afin d'éviter le passage à l'acte et qu'ils ne tombent dans la spirale délinquance-prison-récidive ?

Les fonctions régaliennes de justice et de sécurité impliquent un engagement de l'État en termes de moyens. Il faut le prendre et le tenir. Elles impliquent aussi un engagement dans la durée. Depuis dix ans il est inconstant, résultat d'à-coups permanents dictés par l'actualité. Il est donc nécessaire, sur ce sujet, d'assumer ces priorités, et par une loi-cadre quinquennale, de poser l'engagement sur cinq années que la nation doit tenir.

Enfin, pour être pleinement efficaces, nous devons responsabiliser la société tout entière. Chacun doit avoir sa place dans la prise en charge de la sécurité du pays. Cela ne signifie surtout pas d'entrer dans une société du soupçon, mais d'assumer l'idée que l'État n'est plus l'unique acteur de la sécurité. Chacun a un rôle à jouer pour identifier la menace : les associations qui accueillent des jeunes, les professeurs qui accompagnent les enfants en sortie scolaire, les chefs d'entreprise qui organisent des séminaires. Nous devons être plus vigilants face aux dérives éventuelles. La formation aux gestes de premiers secours, aux réactions à avoir en cas d'attaque, aux réflexes pour savoir comment alerter les forces de police, est aujourd'hui indispensable.

Dans ce contexte, la réserve opérationnelle joue un rôle fondamental, quoique non exclusif. Il ne s'agit pas de proposer de recréer pour tous un service militaire obligatoire. Cela ne serait pas souhaitable pour nos jeunes et cela n'est pas possible pour une armée de métier. En revanche, former de manière volontaire entre 30 000 et 50 000 jeunes hommes et jeunes femmes dans le cadre de la réserve permettra de les faire contribuer à cette indispensable transformation.

Chapitre XIV

Maîtriser notre destin

Nous sommes plongés dans le monde. Qu'on le veuille ou non.

Des millions de Français vivent à l'étranger et voyagent. Nous avons des territoires français sur tous les continents. Notre langue est parlée sur toute la surface de la terre.

Et le monde est chez nous : des dizaines de millions de touristes visitent notre pays chaque année. Deux millions de nos concitoyens travaillent pour des entreprises étrangères – elles sont plus de 20 000 implantées partout sur notre territoire ! Surtout, des millions de nos concitoyens travaillent dans la mondialisation : lorsqu'on produit des Airbus à Toulouse ou des hélicoptères à Marignane, lorsqu'on produit des turbines à Belfort ou des câbles sous-marins à Calais, on travaille pour des clients étrangers et donc on dépend de la mondialisation.

Nos grands défis contemporains sont mondiaux : le terrorisme, les migrations, etc. Et bien entendu, nous partageons la même planète, ce qui doit nous amener à travailler ensemble pour préserver la biodiversité ou pour répondre au dérèglement climatique. Car les transformations en cours auront des conséquences directes sur nous et nos enfants. Elles produiront, si nous n'agissons pas collectivement, des maladies, des conflits qui détruiront peu à peu la planète, notre premier bien commun.

On le voit, nous ne pouvons nous désintéresser du monde car nous sommes dans le monde, et c'est notre action internationale qui est la condition même de la maîtrise de notre destin tant nous sommes liés les uns et les autres.

La France ne s'est d'ailleurs jamais pensée sans penser aux autres. Cela nous rend parfois insupportables aux yeux d'autrui. Mais cela explique aussi que nos voisins et nos partenaires, lorsque la France ne s'exprime pas sur tel ou tel sujet, se disent : « *Mais que fait la France ? Où est sa voix ?* » Notre rêve français a toujours été en même temps un rêve d'universel. Nous avons toujours pensé le monde. Il n'y a pas beaucoup d'autres pays que la France qui se mobilisent lorsque les chrétiens d'Orient sont menacés, vibrent pour la survie de Benghazi, s'indignent du martyr d'Alep ou des crimes commis à Tombouctou.

Cela a longtemps nourri le sentiment que notre pays avait une vocation, celle d'éclairer la marche du monde, celle de porter un message universel et humaniste, celle d'inviter tous les autres à devenir comme nous, à se rapprocher de nous, de notre modèle, de nos valeurs. Aujourd'hui, cette mondialisation nous ressemble moins. Parfois, elle ne porte pas nos valeurs. Cela nous conduit à douter ou à vouloir fermer les portes. Nous sommes parfois taraudés par la tentation du retrait par la désertion. Je comprends les craintes et les incompréhensions. J'entends les colères, aussi, contre les dérives du monde. Mais je crois que la France ne pourra jamais être la France si elle oublie sa vocation universelle.

Nous avons, avant tout, une histoire. Nous sommes une ancienne puissance coloniale qui conserve un ancrage territorial sur tous les continents. Nous avons une langue parlée par 275 millions de personnes et une relation spéciale avec le continent africain et le Proche-Orient.

Nous sommes une puissance internationale, maritime, diplomatique, militaire. Nous sommes l'un des cinq membres permanents du conseil de sécurité de l'Organisation des Nations unies, le seul membre de l'Union européenne depuis le *Brexit*. Nous possédons l'arme nucléaire et sommes capables de projeter des forces à travers le monde. Cela nous amène à jouer un rôle. Mais cela nous engage aussi à faire preuve d'une plus grande responsabilité. C'est pourquoi je suis favorable à ce que nos interventions s'inscrivent bien dans le cadre de mandats de l'ONU. C'est à la fois plus efficace et plus conforme à notre vision historique du multilatéralisme. Et cela nous garantit des équilibres qu'aucune alliance ponctuelle ne permet de réaliser.

Car nous avons un devoir d'exemplarité. Si la France avait par le passé une telle aura, c'est qu'elle était respectée comme un pays non agressif, indépendant, qui jouissait alors d'une popularité importante et tangible à travers le monde. Ce fut le cas notamment, quand nous avons refusé l'aventure irakienne de George W. Bush et de Tony Blair. Aujourd'hui, pourtant, l'image de la France est moins bonne. Nombre de nos polémiques sont mal comprises et altèrent notre image. La présence au Mali est considérée avec méfiance par une partie de la jeunesse africaine. L'interventionnisme en Libye ou au Sahel a été contesté.

J'aimerais que nous puissions convenir ensemble qu'un peu de réalisme est nécessaire. On ne peut penser une action internationale indépendamment de ce que nous faisons chez nous. Je suis frappé de voir que notre parole publique internationale reste absolument la même alors que notre situation a changé. Qui peut croire que nous avons les moyens financiers, militaires, d'intervenir partout ? Pouvons-nous continuer de proposer, de sermonner, parfois de réprimander, comme si nos finances étaient en ordre, nos interventions couronnées de succès, nos dirigeants populaires et notre réputation intacte ? C'est une source de dangers, de fautes et d'erreurs qui peuvent parfois virer au ridicule. Pour agir efficacement, il faut avant tout être lucide.

À l'autre extrême, trop nombreux sont ceux qui ont renoncé à l'idée même d'une position propre, originale, utile de la France. Parce qu'ils la jugent déclassée, incapable de se redresser, ou condamnée à se dissoudre dans l'Union européenne ou l'OTAN. Ils ont tort eux aussi. Nous devons continuer à porter dans le monde notre manière particulière d'envisager la liberté, l'humanité, la justice et l'honneur. Mais nous ne pouvons le faire sans réalisme, c'est-à-dire sans faire en même temps pour nous-mêmes les efforts de rigueur, d'efficacité, de morale aussi, que nous ne cessons de demander à la planète entière. C'est pourquoi d'ailleurs notre action, sans s'y dissoudre, doit à mes yeux s'inscrire bien davantage dans un cadre européen et, en particulier, dans un dialogue stratégique indispensable avec l'Allemagne. Nous devons aussi faire preuve de plus d'exigence avec nous-mêmes et, disons-le aussi, de plus de désintéressement avec les autres. Trop longtemps nous avons paru préférer à la réalité des peuples que nous prétendions aimer, soit nos intérêts directs de marchands d'armes ou d'organisateurs touristiques, soit la bonne opinion que nous avions de nous-mêmes. Nous avons soutenu et soutenons encore des régimes dictatoriaux et inefficaces, absolument contraires à nos valeurs.

La France doit conserver cette position particulière et indépendante qui lui permet d'engager un dialogue constructif avec tous. C'est d'ailleurs la nature même de la diplomatie que de parler avec ceux avec lesquels nous pouvons être en désaccord. Mais ce dialogue ne doit pas conduire à sacrifier nos valeurs, à sombrer dans la facilité ou la complaisance. Si le réalisme est indispensable, les principes le sont aussi et une cure de modestie ne nous ferait pas de mal.

Comme ne nous ferait pas de mal, d'ailleurs, une analyse aussi objective que possible des vingt ans d'opérations militaires de la France. Le Parlement ne s'y livre que sous le coup du scandale et de l'émotion. Or je suis sûr qu'il y a là matière, au contraire, à exercer une évaluation complète et un contrôle intelligent des idées organisatrices comme des processus.

Pour revenir au temps présent, et pour maîtriser notre destin, je tiens comme enjeu premier celui de notre sécurité à l'extérieur et donc la nécessité de lutter par tous les moyens contre notre ennemi, Daech, et contre tous les risques qui y sont liés. Le terrorisme et l'islamisme politique radical prospèrent à nos portes, à l'est et au sud. Notre action diplomatique et militaire doit donc viser à assurer un schéma de sécurité au Maghreb et en Méditerranée face aux crises régionales.

La priorité aujourd'hui est de gagner la guerre contre l'État islamique sur le terrain, à Mossoul et Raqqa entre autres. D'empêcher tout massacre de civils comme nous l'avons vu à Alep. De stabiliser la région et notamment le Liban, un pays si proche du cœur des Français et si souvent marqué par les guerres et l'exil. Notre présence est pleinement nécessaire et justifiée. Mais là encore notre action devrait s'inscrire dans le cadre d'un mandat clair de l'ONU.

Toutefois, dans ces pays, les conflits militaires ne peuvent avoir une issue que si nous parvenons à construire une solution politique, même transitoire. Je suis très réservé sur la pertinence de conflits armés lorsque ces derniers sont lancés alors qu'aucune option politique n'existe sur le terrain, comme nous en avons fait les frais, ces quinze dernières années, en Irak ou en Libye. La France et ses partenaires européens doivent se montrer vigilants, à cet égard, pour toutes les crises en cours et à venir.

En Syrie, la France a pris ses responsabilités sur le plan diplomatique et militaire, mais elle a été progressivement isolée, pour des raisons différentes, en particulier par les Russes et les Américains, tandis que la Turquie, l'Iran et un certain nombre d'États du Golfe ont défendu chacun leur intérêt. C'est donc en arrivant à un juste équilibre entre toutes les parties que la paix là aussi pourra être rétablie. En la matière, la position allemande devrait nous inspirer, et nous gagnerions à agir plus clairement de concert.

Sur le dossier libyen, je ne veux pas cacher mon inquiétude. C'est à partir de ce pays que sont approvisionnés tous ceux qui, au Sahel, ont fait allégeance à cette organisation ou à al-Qaida. Affaibli sur les autres fronts, Daech tente aujourd'hui d'en faire sa base arrière. C'est aussi depuis ce pays qu'une majorité de réfugiés et de migrants partent pour l'Europe. Si la Libye devait être prise par les terroristes, cela constituerait un drame. D'abord, pour les populations locales. Ensuite, cela accroîtrait la pression migratoire sur le continent européen. Cela offrirait à Daech des réserves financières, en particulier pétrolières, sur la bande orientale libyenne. Enfin, cela menacerait les pays alentours, et notamment la Tunisie, fragile démocratie qui joue un rôle d'éclaireur important depuis le Printemps arabe – c'est la raison pour laquelle j'ai tenu à lui consacrer mon premier déplacement international en tant que dirigeant d'*En Marche !*. L'action à conduire en Libye devrait être une action diplomatique européenne avec des alliés régionaux. Nous devons en effet savoir nous appuyer sur l'Algérie et l'Égypte qui ont les mêmes intérêts que nous en la matière, à court et à moyen termes.

C'est pour ces raisons que la politique arabe et méditerranéenne doit être replacée au cœur de notre diplomatie. Nous devons retrouver le fil de notre histoire où notre action a toujours été indépendante et savoir maintenir des relations exigeantes mais continues avec l'ensemble des acteurs de cette région. Avec l'Arabie Saoudite et le Qatar, la relation doit être tout autant politique qu'économique et l'ensemble des sujets – y compris les soutiens de ces pays ou de leurs ressortissants à des organisations qui déstabilisent la région – doit être traité. De son côté, l'Iran doit être aidé dans son ouverture économique et sa réinsertion dans le jeu international, à condition bien sûr qu'il respecte strictement l'accord conclu en 2015 sur son programme nucléaire. Car demain, si l'Iran se dotait de l'arme nucléaire, c'est toute la politique de non-prolifération nucléaire qui serait remise en question. Les autres pays de la région – la Turquie, l'Égypte, l'Arabie Saoudite... – voulant alors suivre le même chemin. Il faut donc faire comprendre à l'Iran qu'il peut être une grande puissance pour l'avenir sans privilégier la voie militaire. Son intérêt pourrait être de se camper d'abord comme puissance économique, forte d'une importante capacité d'influence et d'un rôle de pacification.

Israël reste, quant à lui, un allié diplomatique et économique. Il est une démocratie, et nous devons veiller à sa protection. Mais, en même temps, nous savons qu'une paix durable passe par la reconnaissance d'un État palestinien. La politique de colonisation est donc une faute. Nous devons revenir à l'esprit des accords d'Oslo. S'agissant des lieux saints, la France a soulevé des inquiétudes en votant d'abord en faveur puis en s'abstenant sur une résolution de l'Unesco, mettant en avant leur caractère musulman et niant les liens historiques de Jérusalem avec le judaïsme. La France aurait dû se présenter en défenseur du respect de toutes les religions et en appeler à la coexistence pacifique entre celles-ci. Ce qui se passe sur place, à Jérusalem aujourd'hui, est en réalité l'inverse. Il faut donc sortir par le haut du débat historique sur les lieux saints dans lequel les intransigeants de tous bords voudraient, ensemble, nous enfermer.

Vis-à-vis de ces puissances et tout particulièrement de la Turquie, la France gagnerait à renforcer une approche européenne. Dans le cas de la Turquie, on voit bien que l'attrait du modèle européen est le seul contrepoids qui peut empêcher le régime turc de poursuivre dans ses dérives autoritaires et la remise en cause des libertés politiques. La Turquie ne doit pas s'écarter de l'Europe sur les enjeux sécuritaires, géographiques ou économiques, compte tenu de sa capacité à stabiliser la zone. Mais sans naïveté aucune, car le régime d'Erdogan ne l'autorise pas.

Le Maghreb a bien entendu une place à part compte tenu de notre histoire avec le Maroc, l'Algérie et la Tunisie. Des millions de nos concitoyens sont issus de ces pays et entretiennent un lien fort avec eux. Nous ne devons pas l'oublier. Forts de ce passé commun, il est impératif de construire notre avenir ensemble : en effet, nous faisons face aux mêmes enjeux, qu'ils soient sécuritaires, économiques ou encore écologiques. Beaucoup d'entre eux doivent être discutés dans le cadre d'un dialogue euro-méditerranéen.

Il serait sans doute abusif de prétendre élaborer une politique méditerranéenne commune, mais ce serait une erreur de ne pas voir que nous sommes liés dans un même destin.

Tous ces pays sont soumis à des risques de déstabilisation multiples dont nous subirions de manière immédiate et directe les conséquences.

De même, en Afrique, la France doit continuer à jouer le rôle qu'elle a eu durant les dernières années sur ce continent, qu'il s'agisse de la Côte d'Ivoire, de la Centrafrique ou du Mali. Je tiens pour exemplaire notre intervention militaire ivoirienne sous mandat de l'ONU et je regrette notre départ de la République de Centrafrique, car la situation n'est pas encore stabilisée. Le risque est grand que nous soyons amenés à y retourner dans les prochaines années.

L'intervention de l'armée au Mali a été extrêmement utile, parce qu'elle a permis de sauver ce pays du djihadisme. À cet égard, je tiens à saluer nos soldats qui combattent dans des conditions très difficiles.

D'évidence, notre rôle en Afrique, en lien avec les armées africaines et les organisations régionales, est de stabiliser les zones de fragilité. C'est pourquoi l'Union européenne a utilement coordonné des opérations de formation militaire. Mais dans cette région du monde, nous devons aussi apporter notre soutien aux pays qui font le choix de l'ouverture et de la démocratie. Car l'Afrique, on le sait, recèle des potentialités de dynamisme économique très fortes. La coopération avec elle sur ce plan doit être renforcée.

Compte tenu des engagements actuels français, sans doute trop nombreux, et des risques potentiels, il est évident que la France doit maintenir une diplomatie influente, un réseau actif sur le terrain, et un appareil militaire performant et moderne. Les formats des armées ne doivent pas être revus à la baisse durant les prochaines années, même une fois le désengagement de l'opération Sentinelle décidé. Il faut aller plus loin et dans le même effort penser la dissuasion, qu'il faut maintenir quel qu'en soit le coût. Car c'est là notre ultime protection.

Notre sécurité internationale dépend profondément des choix stratégiques américains et russes. En effet, la Russie joue un rôle croissant en Proche et Moyen-Orient et, depuis la Seconde Guerre mondiale, les États-Unis ont fait de cette région leur zone d'intervention privilégiée, ce dont nous avons plusieurs fois bénéficié.

Quelle relation voulons-nous avoir avec les Russes, qui sont des Européens ? Veut-on revivre sous un régime de soixante-dix ans de conflit absolu à l'image de la Guerre froide ? Veut-on vraiment poursuivre cette gestion un peu floue et conflictuelle des rapports avec cette puissance, actuellement marquée par une forme de confrontation ?

Il nous faut refonder notre relation avec la Russie. Nous ne saurions suivre aveuglément, ni la ligne américaine, quoi qu'elle devienne suite à l'élection de Donald Trump – ce que l'Union européenne subit au fond depuis plusieurs mois –, ni une ligne de connivence avec un régime critiquable, ligne qui a la préférence d'une part de la droite française.

J'œuvrerai pour ma part afin que nous puissions retrouver un dialogue intense et franc. Nous ne réglerons pas à court terme le problème de la

Crimée. Mais nous devons travailler avec les Russes pour stabiliser leur relation avec l'Ukraine et permettre que soient levées progressivement les sanctions de part et d'autre. Nous devons trouver un terrain d'entente au Proche et Moyen-Orient pour restaurer la sécurité dans la région. L'Europe devra être extrêmement vigilante dans les mois à venir afin d'éviter tout écart de la Russie qui pourrait voir dans l'élection de Donald Trump le signe d'une moindre attention des États-Unis à l'égard de l'Europe.

Avec les Russes, nous partageons un continent, une histoire, une littérature même. Tourgueniev vivait en France, Pouchkine aimait notre pays, Tchekhov et Tolstoï ont eu une grande influence. Nous avons affronté ensemble, et par deux fois, les conflits les plus terribles de l'histoire du monde. En même temps, la vision russe ne correspond pas totalement à la nôtre. À nous d'en tenir compte. Mais nous commettrions une erreur en coupant les ponts avec cette puissance d'Europe orientale plutôt qu'en nouant une relation de long terme. Dans la lutte contre le terrorisme ou dans le domaine énergétique, nous avons matière à nourrir un partenariat utile.

La question de notre relation avec les États-Unis est, dans ce contexte, plus que jamais structurante. Nous sommes liés par la défense des Droits de l'homme et les mêmes intérêts en faveur de la stabilisation du monde. Beaucoup s'est joué à l'occasion de l'élection présidentielle de Donald Trump en novembre 2016. Nul ne sait appréhender les conséquences de cette élection, mais force est de constater que les années Obama ont été marquées par une tension feutrée avec l'Europe, qui a pu prendre la forme d'une véritable crispation sur la Syrie.

Sous le président Obama, l'Asie a été une priorité plus forte que l'Europe. C'est une réorientation majeure dont nous avons à peine commencé à percevoir les conséquences si elle devait se poursuivre. De même, les États-Unis sont-ils en phase de retrait du Moyen-Orient et des zones de crise, alors que c'était un de leurs engagements majeurs depuis un demi-siècle. La « ligne » Obama au Moyen-Orient a été simple : responsabiliser les acteurs locaux et régionaux et ne plus prendre ni l'initiative, ni la part essentielle de la pacification. Après le repli décidé en Afghanistan et en Irak, tant que la menace directe sur les États-Unis n'est pas établie, ces derniers n'interviennent donc plus.

Des coopérations fortes se poursuivent évidemment et doivent être entretenues. Sur de nombreux terrains d'opérations, l'appareil de renseignement américain et les moyens d'assistance militaire sont mis à disposition de la France. Les États-Unis sentent bien que le Sahel est dangereux et notre coopération en matière de renseignement dans cette région est, par exemple, essentielle.

Quoi qu'il en soit, il y a de part et d'autre de l'Atlantique un besoin de clarification, de réévaluation entre les États-Unis et l'Europe, de renouveau et de réinvestissement. À cet égard, les écoutes ont constitué des agissements insupportables. Les milieux autorisés ont beau trouver qu'il s'agit de faits banals et peu surprenants sur le plan du renseignement, ils m'apparaissent particulièrement choquants quand il s'agit des chefs d'État.

Il se joue donc dans la relation entre la France et plus largement l'Union européenne, d'une part, et les États-Unis, d'autre part, un moment déterminant pour l'avenir de la planète. L'axe atlantique qui structure l'Occident et qui a porté depuis l'après-guerre la politique des Droits de l'homme et de la pacification est-il le plus important ? Je le crois profondément. Mais il implique un rééquilibrage de notre relation, tant celle-ci détermine notre capacité à protéger nos concitoyens. À l'heure où j'écris, la vie politique américaine a pris un cours nouveau avec l'élection de Donald Trump à la présidence des États-Unis. Nul ne sait quelles seront ses premières décisions. Je sais du moins que, comme celles de ses prédécesseurs, elles seront contraintes par les réalités. À nous de faire prévaloir nos conceptions. À nous aussi de prendre toute la mesure de ce changement du monde.

Aujourd'hui, plus encore qu'hier, nous devons donc construire une stratégie européenne à dix ans en matière diplomatique et militaire ; car de plus en plus, l'Europe occidentale sera livrée à elle-même pour se défendre. Nous devons donc, en tant que première puissance militaire d'Europe, travailler avec nos partenaires européens, l'Allemagne mais aussi le Royaume-Uni qui, en la matière, et compte tenu de nos liens, demeure un partenaire stratégique. Face à ces risques régionaux voisins et compte tenu des nouvelles positions ou des incertitudes liées à la Russie et aux États-Unis, nous avons à mettre en œuvre notre sécurité collective de manière plus indépendante.

Pour maîtriser notre destin, notre deuxième axe d'action doit être l'ensemble de nos initiatives commerciales, économiques, culturelles dans le reste du monde. C'est en effet essentiel pour permettre à la France et l'Europe d'avoir une influence réelle, d'éviter parfois les dérives qui pourraient toucher notre pays. Pour que nos artistes, nos écoles, nos entreprises, nos idées, puissent rayonner partout dans le monde.

Nous avons pour ce faire des atouts immenses et nous disposons d'un réseau diplomatique exceptionnel qui demeure une force. Je veux ici dire une conviction qui viendra contredire des choix faits depuis tant d'années. Il est toujours plus important de maintenir nos bourses, nos centres culturels et nos écoles que des postes de diplomates. Bien sûr, maintenir un réseau diplomatique est indispensable, mais nous pouvons là aussi développer une approche davantage européenne alors que notre influence culturelle ne saurait dépendre que de nous. Et c'est cela qui marque la présence française au contact du pays.

Lors de mon déplacement en Tunisie, j'ai été frappé des échanges que j'ai pu avoir avec des responsables politiques et culturels. Leurs modèles étaient tous français. Leur maîtrise de la langue parfaite. Leurs souvenirs vibrants étaient les moments volés avec des artistes français, écrivains ou cinéastes.

Toutefois, je mesure aussi le mal qu'ont causé depuis quinze ans nos reculs dans les politiques en faveur de la Francophonie ou le peu d'intérêt suscité par la promotion artistique à l'étranger. La France œuvre pour elle et pour le monde quand elle rayonne culturellement. Quand elle soutient et promeut sa langue et la diversité linguistique. Quand elle attribue des bourses aux étudiants de tous les continents. Quand elle permet à des milliers de kilomètres, au milieu d'un autre continent, de goûter un peu d'elle, dans un esprit d'échange, de curiosité et de réciprocité. Car les liens mutuels qui se construisent ainsi, pour les Français et pour tous nos partenaires dans le monde, sont autant de remparts contre l'ignorance et parfois la barbarie, autant de fils tendus entre ces citoyens d'ailleurs et nous.

À ce titre, je vois l'Afrique comme un continent de promesse où nous devons réaffirmer et redéployer nos ambitions.

Notre présence ne peut pas se limiter à une action militaire et politique. Nous devons désormais faire davantage et permettre, partout en Afrique, à des entrepreneurs et aux classes moyennes de se développer. Ce sera la meilleure façon de stabiliser dans la durée les démocraties africaines. À cet égard, le travail conduit en 2013 par Hubert Védrine, Lionel Zinsou, Hakim El Karoui, Jean-Michel Severino et Tidjane Thiam demeure pleinement pertinent. Il constitue le cœur de l'action stratégique que je veux pouvoir conduire sur ce continent. Traditionnellement, notre présence économique en Afrique s'est construite en lien étroit avec les Gouvernements, dans des secteurs comme les matières premières et les infrastructures. Elle s'est développée dans des conditions d'opacité qui n'ont pas permis de lutter efficacement contre la corruption de part et d'autre, ni de faire profiter un maximum d'Africains des effets positifs de cette relation.

Aujourd'hui, une nouvelle élite entrepreneuriale émerge, qui tire les classes moyennes et l'ensemble de la population de ces pays africains. C'est en tissant des liens avec cette nouvelle génération que nous devons intensifier, de manière équilibrée, et sans condescendance, nos relations avec l'Afrique dans la décennie à venir.

Je ne vais pas égrener ici la liste exhaustive de tous les pays avec lesquels nous avons une histoire, un lien unique, des échanges culturels, commerciaux ou industriels inédits, du Brésil à l'Argentine, en passant par la Colombie et le Chili, du Japon à la Corée du Sud, en passant par la Chine et l'Inde qui, en pleine transformation, renforce ses liens multiples avec la France ou l'Australie avec laquelle nous venons de signer d'importants contrats.

La Chine occupe bien entendu dans cette liste une place à part. Elle est une grande puissance en passe de devenir la première économie de la planète. Beaucoup de nos compatriotes connaissent mal la Chine. Ils la voient encore comme l'usine du monde, comme un pays de production à bas coûts. Ils la voient comme responsable des délocalisations d'usines, de la désindustrialisation de la France. Mais la Chine, c'est déjà plus que cela. C'est pourquoi nous devons changer notre manière de la voir. Loin de devoir être toujours considérée comme un péril, la Chine peut, si l'on sait s'en donner les moyens, constituer une chance.

Nous avons la capacité, avec nos entreprises, de répondre aux enjeux considérables que la Chine doit affronter (développement urbain, besoins énergétiques, lutte contre la pollution). Des partenariats anciens existent déjà comme dans le domaine nucléaire.

Nous pouvons nous appuyer sur les liens singuliers que nous entretenons avec elle : les dirigeants chinois n'ont jamais oublié que la France a été le premier pays occidental à reconnaître la République populaire de Chine.

Mais pour réussir dans cette mondialisation en pleine transformation, nous avons besoin de l'Europe. En trente ans le monde a profondément changé. La France s'est rétrécie, en quelque sorte, car de nouvelles puissances économiques et commerciales ont émergé. Aussi, le meilleur moyen de défendre nos préférences et nos valeurs, c'est bien d'avoir une politique européenne efficace. Et en particulier une politique commerciale commune. Seule l'Europe peut de manière crédible et efficace négocier avec la Chine ou les États-Unis. À ce titre, je ne pense pas que, durant les prochaines années, la négociation en cours avec les États-Unis pour un traité de libre-échange progresse. Par contre, nous gagnerions à déployer une stratégie commerciale offensive et à discuter avec l'Asie et le Pacifique pour ne pas laisser les Américains dans une position d'arbitre. L'Union européenne est aussi l'espace de régulation que nous devons privilégier en matière de numérique pour faire valoir nos préférences, qu'il s'agisse de valorisation des données économiques ou de protection de la vie privée.

Le troisième axe de notre action doit être plus civilisationnel. Nous avons un nouvel humanisme à penser. Je suis convaincu que la mondialisation est synonyme d'opportunités pour beaucoup. Mais, en même temps, elle se trouve dévoyée par les excès d'un capitalisme financier que nos États-nations ne parviennent plus à réguler. Le compromis de Bretton-Woods, qui avait permis après la Seconde Guerre mondiale d'inventer les régulations financières nécessaires aux nouveaux équilibres financiers et monétaires, a vécu. Le G20, enceinte internationale réunissant les vingt premières économies mondiales, ressuscité après la crise financière de 2008, n'a pas véritablement permis de calmer ces dérives.

Or, aujourd'hui, notre capitalisme mondial produit plus d'inégalités qu'il n'en a jamais créées dans nos pays développés. Les classes moyennes des économies occidentales sont, depuis les années 1980, les grandes sacrifiées de ce mouvement historique. Dans un premier temps, les nouvelles élites et classes moyennes des économies émergentes ont bénéficié de la croissance de leurs économies, mais durant ces vingt-cinq dernières années, les 1 % les plus riches n'ont cessé d'accumuler plus de richesses.

Le capitalisme international ne se régule plus lui-même. Et pas davantage avec les institutions créées à cet effet. Or, qu'il s'agisse des crises financières, des sacrifiés de la mondialisation ou des victimes du réchauffement climatique, de la destruction de la biodiversité, le combat de la France doit permettre d'anticiper, de prévenir, de participer à modifier les règles internationales et, au final, d'humaniser ce capitalisme contemporain.

Je ne sais pas si nous y parviendrons. Je ne sais d'ailleurs si ce capitalisme n'est pas en train de vivre ses dernières étapes en raison même de ses excès. Ce dont je suis convaincu, en revanche, est que la France doit tenir sa place dans cette entreprise essentielle qui consiste à faire prévaloir les valeurs humaines dans la mondialisation. Tout l'y prédispose, son histoire, ses principes, ses aptitudes... Au-delà de la bataille environnementale, la France doit mener le combat pour renforcer la régulation internationale de manière beaucoup plus ferme, en contraignant toutes les formes de financement opaque, en continuant à encadrer les rémunérations des dirigeants financiers partout dans le monde, en portant les principes de responsabilité sociale et environnementale. Cette entreprise doit être mondiale si nous la voulons efficace. Ce serait illusoire de vouloir mener le combat seul. Le G20 en est le bon cadre, mais la France doit porter avec l'Union européenne un agenda clair et volontariste en la matière.

J'ai aussi la conviction que c'est bien au niveau européen et mondial que nous devons mener la lutte contre l'évasion et la fraude fiscales. L'OCDE et l'Union européenne ont beaucoup progressé ces dernières années pour imposer plus de transparence. Toutefois, le développement du numérique facilite, voire encourage, les transferts de valeurs et donc ces comportements. Là aussi nous devons prendre des mesures fortes et claires. D'abord, inscrire tous les pays de la zone euro dans une dynamique de convergence fiscale pour l'impôt sur les sociétés. Cela prendra dix à quinze ans, mais ce rapprochement est indispensable. Ensuite, exiger la renégociation de tous les accords existant en matière fiscale entre un pays de l'Union européenne et un paradis fiscal. Enfin, imposer que tout accord commercial soit accompagné d'accords de coopération fiscale pour lutter contre l'optimisation et l'évasion fiscales. L'ouverture commerciale n'est politiquement soutenable que si la richesse taxable, nécessaire à toute redistribution, ne s'évapore pas avec les flux financiers. Les grandes puissances occidentales auront de nouveaux gouvernants fin 2017. Nous devons œuvrer pour que nous ayons, d'ici 2020, à poser les bases des nouvelles règles de la mondialisation. Ce n'est pas un combat pour « empêcher » ou simplement pour « conserver », mais un combat contre des excès dévastateurs et pour notre avenir commun.

Ce que nous sommes en train de vivre au final est sans doute un changement de l'ordre du monde. Certains sont tentés par la fin du moment occidental, lui préférant un autre rapport de forces. Notre réponse constante doit être de civiliser par tous les moyens cette mondialisation et d'ancrer notre action au cœur d'une Europe devenue plus encore indispensable.

Chapitre XV

Refonder l'Europe

Pour reprendre la maîtrise de notre destin, nous avons besoin de l'Europe.

Depuis tant d'années nos dirigeants politiques font croire que l'Europe est le problème, le responsable de tous les maux.

Doit-on ici rappeler que l'Europe c'est nous ? Nous que la géographie et l'histoire ont placés au centre de l'Europe. Nous qui l'avons faite et choisie. Nous qui en désignons les représentants. Disons-le nettement : élire le président de la République, c'est élire celui qui siégera, pour la France, à la table du Conseil européen.

Et lorsque je regarde le vaste monde j'ai deux certitudes : ce qui nous rassemble en Europe est plus fort que ce qui nous divise et nous n'avons que peu de chances de peser face à la Chine ou aux États-Unis si nous ne savons pas le comprendre.

Au fond, de qui sommes-nous les héritiers ?

Dans l'histoire des constructions politiques, l'Europe est jeune. Elle n'a que soixante-cinq ans, et pourtant, elle paraît déjà épuisée. Au fil des décennies, le projet des pères fondateurs s'est enlisé dans les procédures. Il s'est perdu dans les traités. Il s'est égaré par manque de vision.

Ce projet reposait sur une triple promesse : une promesse de paix, de prospérité et de liberté. Un projet profondément français.

La construction européenne est fille de la paix ; elle l'a consolidée. Durant des décennies, elle a fait du rêve pacifique une réalité pour des millions d'Européens. Si bien que nombre d'entre nous ont pu croire à la disparition des conflits, oubliant ainsi ce qu'était l'histoire réelle de ce continent. Car le rêve européen a toujours été un rêve d'empire et d'union par la guerre. César, Charlemagne, Napoléon, jusqu'au drame hitlérien. Ne perdons jamais de vue que la guerre est notre passé sur le continent et qu'elle pourrait être notre avenir si nous ne construisons pas une Europe libre. Pour la première fois, nous sommes parvenus à faire l'union du continent par la paix et la démocratie. Notre rêve européen a pris la forme inédite d'une construction non hégémonique, conçue pour permettre à des peuples très proches de vivre enfin en paix après les tragédies des deux guerres, et, au moins autant, après le traumatisme moral de ce que ces guerres ont permis : le génocide des juifs, les massacres de masse, la trahison même de l'idéal occidental.

L'Europe de la prospérité, ensuite, c'est l'autre promesse originelle. Dévastée par la guerre, l'Europe ne peut concevoir un projet commun qui n'ait pour but son redressement économique. Malgré la crise, l'Europe a su construire un modèle économique et social sans équivalent dans le monde.

L'Europe de la liberté, enfin, et d'abord de la liberté de circulation des hommes comme des biens... Schengen, Erasmus, l'euro, la suppression des obstacles – des frais bancaires aux coûts d'itinérance sur nos téléphones – incarnent concrètement cette Europe de la mobilité.

Pour les Européens, ces trois promesses fondatrices semblent aujourd'hui trahies.

La promesse de paix est fragilisée. Les crises syrienne, libyenne ou ukrainienne, les grandes migrations, inédites depuis soixante ans, et avant tout, les attaques terroristes répétées sur notre sol nous ont ouvert les yeux : le fil de l'Histoire n'est pas rompu. La guerre et les conflits ne sont pas derrière nous.

La promesse de prospérité est trahie. L'Europe reste engluée dans une croissance molle. Moi-même, depuis que je suis conscient du monde et des choses, j'entends parler de crise. Et aujourd'hui, un jeune sur cinq est au chômage dans la zone euro. Dans cette situation, quelle adhésion peut susciter l'Europe auprès des jeunes générations ? L'Europe a su faire face à l'urgence, quand l'euro était menacé. Mais nous devons admettre que l'austérité n'est pas un projet et que la réduction des déficits ne saurait constituer une ambition politique.

La promesse de liberté, enfin, est affaiblie. La liberté de circuler, notamment, est chaque jour remise en cause. Pour des raisons économiques et d'intégration, face aux flux migratoires. Pour des raisons de sécurité, face à la menace terroriste. Plus largement, parce que la persistance du chômage et l'aggravation des inégalités suscitent le rejet de l'ouverture et la tentation du repli.

Ces trois promesses ne doivent pas être remises en cause. Elles constituent toujours un projet aussi beau. Mais ce projet ne saurait se réaliser si nous nous replions sur nous-mêmes.

Que s'est-il donc passé ?

L'Union européenne s'est alanguie par notre faute à tous. C'est aujourd'hui un épuisement des idées et des méthodes partout perceptible. C'est un système complet qui rend l'âme et tourne à vide. Les sommets de chefs d'État et de Gouvernement en sont devenus la caricature : on se retrouve à huis clos, on répète des grands principes, on change un mot dans une déclaration pour ne pas reprendre celle du sommet précédent. C'est un système coupé du monde et du réel. Que m'ont dit les agriculteurs de Bretagne que j'ai rencontrés ces derniers mois ? Ils ne m'ont pas dit qu'ils étaient contre l'Europe ou même la politique agricole commune qui est si importante pour nous. Mais ils m'ont expliqué qu'ils étaient contre les règles à outrance, contre la bureaucratie tatillonne, contre l'interventionnisme hors sol, tant éloigné de leurs besoins réels.

Les fondateurs de l'Europe croyaient que la politique suivrait l'économie et qu'un État européen pourrait naître d'un marché unique et d'une monnaie unique. Après un demi-siècle, la réalité a dissipé cette illusion. L'Europe politique n'est pas advenue. Elle s'est même plutôt affaiblie, par notre faute collective.

D'abord parce que nous avons souhaité l'affaiblir. Les chefs d'État et de Gouvernement ont tout fait pour mettre, durant plusieurs années, à la tête de l'Union européenne des dirigeants faibles.

Ils ont décidé de mettre en place une commission à vingt-huit commissaires. Cela ne permet pas de fonctionner et, bien entendu, il faudra revoir l'organisation de la commission pour retrouver la vraie collégialité et l'efficacité de la commission de Jacques Delors.

L'Union européenne a progressivement abandonné sa vision pour des procédures, confondu le but – l'Union européenne – et les moyens techniques, monétaires, juridiques, institutionnels, de sa réalisation. À la fin, une chape de plomb est retombée sur cette question comme sur d'autres : faire de l'Europe la mère de tous nos problèmes devenait un réflexe et s'interroger sur le rôle de la commission ou la multiplicité des directives, c'était se montrer mauvais Européen.

Pour les Français, la coupure s'est produite en 2005. Nous avons fait cette année-là, par référendum, le constat que cette Europe n'était peut-être plus la nôtre. Qu'elle était devenue trop exclusivement libérale, éloignée de nos valeurs. Et que, pratiquement, elle était même devenue menaçante, au regard des bénéfices que notre pays en tirait traditionnellement, comme dans l'agriculture, ou au regard de nouveaux défis, comme celui de l'immigration.

Ces sentiments négatifs se sont accentués depuis le référendum de 2005, parce que les défenseurs de l'Europe ont répondu au traumatisme du « non » en désertant le terrain du débat et des idées. La crise monétaire grecque a révélé une carence du même ordre, où, entre l'apocalypse annoncée et les cachemisère négociés, les élites politiques européennes ont fait l'impasse sur la discussion nécessaire.

L'Europe s'est alanguie par manque d'esprit de responsabilité. Nous-mêmes, Français, avons trop souvent considéré, au fond, que la bonne défense de l'intérêt national était de nous affranchir des règles européennes que nous avions contribué à élaborer. Au-delà, l'absence de véritable contrôle des politiques européennes nous a fragilisés. Il est significatif qu'aucun véritable débat politique n'ait eu lieu, faute d'instances appropriées, sur les décisions par lesquelles la monnaie unique avait donné à certains États, Grèce, Italie, Espagne, Portugal, mais aussi nous-mêmes, l'autorisation de vivre au-dessus de nos moyens, au risque d'une catastrophe. Le choix des dirigeants européens, les habitudes de leurs administrations, la prolifération des règles, l'insuffisante application du principe de subsidiarité, ne devraient jamais cesser d'être soumis à un examen exigeant. Les institutions européennes sont aujourd'hui incapables d'un tel examen.

Elles sont également largement incapables de défendre efficacement les valeurs qui, au-delà de l'économie, fondent l'Europe. Personne ne doit pouvoir penser que l'humanisme y est tenu pour si peu de chose. J'ai toujours soutenu les efforts du Gouvernement grec pour conserver sa place dans l'Europe monétaire. Pourtant, j'ai été frappé qu'à aucun moment, les négociateurs européens n'aient cru devoir rappeler les autorités grecques au respect de ces règles européennes qu'ils avaient visiblement négligées dans les années récentes, en particulier celles relatives au droit d'asile. Certaines décisions récentes du Gouvernement hongrois ont menacé les principes sur lesquels l'Europe se fonde, et n'ont pas fait l'objet du dixième des sommets vers lesquels on se rue lorsque l'argent du contribuable ou la santé financière des banques paraissent exposés. Nous ne devrions pas consentir à ces accommodements.

Enfin, l'Union européenne s'affaiblit elle-même lorsqu'elle accepte sa propre désagrégation par conformisme sans vision. Que dire de l'accord de février 2016 qui offrait au Royaume-Uni une Europe à la carte, cédant à son chantage?

Pour toutes ces raisons, je tiens la décennie qui vient de s'écouler, sur ce point, pour une décennie perdue.

Le *Brexit* est d'ailleurs le nom de cette crise et le symptôme de l'épuisement qui marque l'Europe. Mais espérons-le aussi – et c'est là notre responsabilité réformiste – le début d'une indispensable refondation.

Le *Brexit* n'est pas un acte égoïste. Ne reprochons jamais à quiconque d'avoir mal voté : cela n'a aucun sens. Certes, il serait plus facile de « *dissoudre le peuple* », comme disait Bertolt Brecht, que de regarder les problèmes en face. Je préfère cette seconde option.

Le *Brexit* exprime un besoin de protection. Il traduit le rejet d'un modèle de société que les dirigeants britanniques ont eux-mêmes défendu. D'une société qui a prôné l'ouverture, sans s'occuper des destructions – industrielles, économiques, sociales – que celle-ci engendre nécessairement lorsqu'elle intervient trop rapidement. Il traduit les faiblesses d'une classe politique qui a trouvé son bouc émissaire : l'Europe – avant d'expliquer que la quitter serait un désastre. D'un débat public qui a combiné dans un même naufrage l'arrogance des experts et le mensonge des démagogues.

En ce sens, le *Brexit* n'est pas une crise britannique mais une crise européenne. C'est un signal d'alarme adressé à tous les États membres, à toutes celles et tous ceux qui refusent de voir les effets négatifs de la mondialisation. Car nos sociétés sont toutes divisées en deux parts presque égales, entre partisans de l'ouverture et tenants de la fermeture. Les élections régionales allemandes, les élections locales italiennes, l'élection présidentielle autrichienne, les dérives polonaises ou hongroises et, bien sûr, ici en France, la montée du Front national : tous les scrutins traduisent cette fracture.

Il faut donc reprendre l'Europe à son début, à son origine.

Comment le faire revivre ? Comment mener une telle politique face à la montée des scepticismes ?

Il faut renouer avec le désir d'Europe. C'est le projet de la paix, de la réconciliation, du développement. Rien de plus difficile à définir qu'un projet, qui devient vite ce que chacun en pense.

Pour cela nous ne devons pas partir de la technique, de solutions complexes et bureaucratiques, mais construire un projet politique véritable. Les pays de l'Europe pour lesquels celle-ci ne se réduit pas au marché, mais dessine un espace où une certaine idée de l'homme, de la liberté d'entreprendre, du progrès et de la justice sociale est affirmée, doivent se ressaisir du projet et s'organiser en conséquence. Cette philosophie, c'est celle portée durant nombre d'années par Jacques Delors. Il revient à la France d'en prendre l'initiative et de travailler avec l'Allemagne, l'Italie et quelques autres pour redresser notre Europe.

Ce projet européen nous devons le construire autour de trois concepts : la souveraineté, le goût de l'avenir et la démocratie.

Commençons par accepter le diagnostic : le clivage se situe aujourd'hui entre partisans de l'ouverture et tenants de la fermeture. Réformistes et progressistes, nous devons assumer la société d'ouverture et le choix de l'Europe.

Être progressiste aujourd'hui, c'est dire que notre rapport au monde ne réside pas dans l'isolement. C'est comprendre que nous avons plus à perdre qu'à gagner à nous replier sur nous-mêmes. C'est convaincre que cette ouverture n'est tenable que si elle est accompagnée de protections. C'est faire en sorte que l'ouverture puisse profiter à tous et dans tous les États membres.

Or nous avons confondu souverainisme et nationalisme. Je le dis : les vrais souverainistes sont les pro-Européens ; l'Europe est notre chance pour recouvrer notre pleine souveraineté. Car de quoi parle-t-on ? Là encore, revenons au sens des mots pour clarifier les idées. La souveraineté, c'est le libre exercice par une population de ses choix collectifs, sur son territoire. Et être souverain, c'est pouvoir agir efficacement.

Face aux grands défis du moment, ce serait tout simplement une illusion, et une erreur, que de proposer de tout refaire à l'échelon national. Face à l'afflux des migrants, face à la menace terroriste internationale, face au changement climatique et à la transition numérique, face à la puissance économique américaine ou chinoise, l'Europe est le niveau d'action le plus pertinent.

Qui peut sérieusement croire que nous contrôlerons seuls les flux migratoires venus d'Afrique du Nord ou du Proche-Orient ? Que nous régulerons seuls les grandes plateformes numériques nord-américaines ? Que nous répondrons seuls aux enjeux du réchauffement climatique ? Ou encore que nous négocierons seuls des accords commerciaux équilibrés avec les États-Unis ou la Chine ? Dans les prochaines années et dans ces différents domaines, nous devons avancer avec les vingt-six États membres de l'Union européenne. Arrêtons-nous un instant sur les flux migratoires. Sur ce sujet profondément régalien, mais face à des menaces de plus en plus globales, l'échelon européen doit être renforcé. L'idée avancée par certains que la vraie protection serait assurée par un retour aux frontières nationales est totalement fantaisiste. Imagine-t-on que nous allons redéployer des forces à nos frontières ? Fermer nos frontières à l'Allemagne, la Belgique, l'Espagne ou l'Italie ? Le voulons-nous ? Ce d'autant que nombre des terroristes qui ont agi durant ces derniers mois contre notre pays étaient français et vivaient en France et en Belgique.

Nous avons en Europe des intérêts totalement liés sur ce point. Mais nous devons renforcer notre action et avoir une vraie politique aujourd'hui à vingt-huit et demain à vingt-sept. Cela suppose un investissement dans une véritable force commune de gardes-côtes et de gardes-frontières et dans un véritable système de carte d'identité commun. Car quiconque arrive à Lesbos ou Lampedusa peut prendre pied dans notre pays. Or, aujourd'hui, cette force que l'on appelle Frontex ne peut intervenir que si un État le lui demande et avec des moyens très limités, et notre coopération entre services nationaux est insuffisante.

La question des frontières est fondamentale aujourd'hui. Encore faut-il la poser au bon niveau. Se donner les moyens de protéger nos frontières européennes est la réponse pertinente à apporter.

Rendre cette politique de sécurité efficace suppose aussi que nous nous coordonnions vis-à-vis des pays tiers. En considérant d'abord les zones de conflit et les pays d'origine des migrants. L'Union européenne doit organiser sa politique vis-à-vis des pays d'origine lorsqu'il s'agit de réfugiés. L'erreur européenne a été de ne pas mettre en place une telle politique avant le début de la crise. Ensuite, nous devons développer une politique coordonnée d'aide au développement vis-à-vis de ces mêmes pays, afin de les aider à gérer eux-mêmes les flux de réfugiés, dans le voisinage de la zone de conflit syrienne en particulier. C'est là aussi l'erreur commise lorsque plusieurs millions de réfugiés se trouvaient dans ces pays. L'Europe a été sollicitée par les Nations Unies sans bouger et donc sans prévenir. Enfin, il est clair que dans les prochains mois, nous devrons rouvrir le sujet de la coopération avec le Royaume-Uni en matière d'immigration. La contribution financière actuelle du Royaume-Uni ne pourra suffire ; la France ne peut seule porter le fardeau des camps de réfugiés. Au-delà même de cette participation financière, il est impératif que le Royaume-Uni accepte de gérer avec l'Union européenne le problème des réfugiés aux frontières de l'Union.

Sur ces sujets, l'Europe est le bon niveau de protection de souveraineté.

Prenons un autre exemple, celui du commerce. Car l'Europe de la souveraineté, c'est aussi celle qui régule le libre-échange et civilise la mondialisation. En tant que ministre, j'ai engagé ce combat en défendant notre sidérurgie contre la concurrence déloyale. J'ai défendu, parfois bien seul, à propos de l'accord avec le Canada notamment, que la politique commerciale devait rester au niveau européen car nous sommes plus forts ensemble. Quelle protection la France seule établira face à la Chine ? Quel accord commercial avantageux tel ou tel pays sera-t-il à même de négocier avec nos grands partenaires ? Mais la contrepartie indispensable de cette compétence européenne pour les accords de libre-échange, c'est une association plus précoce et plus régulière des citoyens, du Parlement européen et des Parlements nationaux ; c'est une transparence accrue ; c'est aussi et surtout, la mise en place de protections plus efficaces face aux pratiques déloyales. Je suis favorable au renforcement des mesures antidumping, qui doivent être plus rapides et plus puissantes, comme aux États-Unis. Nous devons également mettre en place au niveau européen un contrôle des investissements étrangers dans les secteurs stratégiques, pour protéger une industrie essentielle à notre souveraineté ou garantir la maîtrise européenne des technologies clés.

L'Union européenne, si nous le décidons et en tirons toutes les conséquences, est ce qui permet de construire notre place et nos justes protections dans la mondialisation. C'est autour de cela que nous devons la refonder.

L'Union européenne se construira ensuite sur le goût de l'avenir. C'est-à-dire sur une ambition commune de relance.

Aujourd'hui l'Union européenne et plus particulièrement la zone euro s'affaissent par manque d'ambition. Parce que nous sommes perclus de doutes, conséquences des crises passées. Or nous avons besoin d'une ambition nouvelle, d'une politique d'investissement portée au niveau européen.

À cet égard, on entend ici et là que l'euro a été une erreur ; c'est oublier bien rapidement les bénéfices de cette monnaie qui nous protège des fluctuations monétaires, encourage les échanges au sein de la zone euro et nous permet de nous financer dans des conditions historiquement favorables. Il faut en revanche reconnaître que l'inachèvement de la zone euro a été une faute.

Aujourd'hui l'euro s'affaiblit en raison des différences grandissantes entre ses économies et du manque de relance et d'investissements publics et privés. Hier, faute d'un véritable pilotage politique, l'euro a fini par accentuer les différences entre les économies de la zone euro au lieu de les rapprocher. Face à une crise sans précédent, les économies les plus fragilisées se sont effondrées et les États ont connu une crise de la dette. Aujourd'hui, en l'absence de pilotage politique centralisé, les déséquilibres accumulés prennent du temps à se résorber malgré une politique d'austérité sans précédent dans de nombreux pays d'Europe. Alors qu'il faudrait relancer toute la zone par des investissements indispensables à sa croissance, la rigueur budgétaire continue de dominer. La Banque centrale européenne a fait le maximum depuis cinq ans et, sans son action déterminée, nous serions sans doute en récession.

Ce que je propose, c'est de lancer un budget de la zone euro qui financera les investissements communs, aidera les régions les plus en difficulté et répondra aux crises. Nous avons les moyens de le faire car nous ne sommes pas endettés de manière solidaire au niveau de la zone euro.

Pour cela il faut un responsable : un ministre des Finances de la zone euro. Il définirait les priorités de ce budget et favoriserait les États qui mènent les réformes pour les accompagner. Il serait responsable devant un Parlement de la zone euro qui regrouperait l'ensemble des parlementaires européens de la zone euro, au moins une fois par mois, pour assurer un véritable contrôle démocratique.

Dans le même temps, nous devrions décider ensemble de revoir les règles du jeu pour mettre en place une politique économique plus appropriée. La zone euro n'a pas retrouvé les niveaux d'investissement d'avant-crise et aucun bloc économique ne peut ainsi sacrifier son avenir. Un plan d'investissement européen beaucoup plus puissant que l'actuel « plan Juncker », c'est-à-dire comportant des subventions, et pas principalement des prêts ou des garanties, doit être mis en place au plus vite. Ce plan doit financer les investissements nécessaires à l'équipement en fibre, aux énergies renouvelables et aux interconnections et techniques de stockage d'énergie, à l'éducation, la formation et la recherche. Tous les investissements d'avenir qui contribueront à ce plan devront être sortis des objectifs de dette et de déficit compris dans le pacte de stabilité et de croissance.

Sur ce point, la France a une responsabilité immense. Si nous voulons convaincre nos partenaires allemands d'avancer, il nous faut impérativement nous réformer. L'Allemagne aujourd'hui est attentiste, bloquant nombre de projets européens en raison de sa défiance envers nous. Nous l'avons trahie deux fois. En 2003/2004, en nous engageant à faire des réformes de fond que seuls les Allemands ont menées. Et en 2007 en arrêtant unilatéralement l'agenda de réduction des dépenses publiques que nous conduisions ensemble. Puis, encore, en gagnant du temps en 2013, sans agir suffisamment. C'est aussi pourquoi l'Allemagne accroît aujourd'hui son excédent budgétaire, ce qui n'est bon, ni pour elle ni pour l'Europe. N'oublions jamais qu'il y a la place pour un leadership français en Europe, mais que celui-ci implique que nous donnions l'exemple.

Dès lors, la bonne méthode pour progresser m'apparaît simple. À l'été 2017, nous devons présenter la stratégie de réformes de modernisation du pays et le plan quinquennal de baisse des dépenses courantes en les mettant en œuvre sans délais. En contrepartie, nous devons demander aux Allemands de procéder chez eux à une vraie relance budgétaire. Ils doivent avancer avec nous sur l'idée d'un budget de la zone euro, et d'autre part sur l'autorisation d'investissements d'avenir dans l'ensemble des pays de la zone euro.

Si nous voulons construire une puissance économique réconciliant solidarité et responsabilité, nous devons conduire les réformes à l'échelle des États mais, dans le même temps, il est indispensable que quelques États membres de la zone euro aillent plus loin. Qu'ils se donnent dix années pour créer la convergence fiscale, sociale et énergétique. Ce sera le cœur de la zone euro, sans lequel celle-ci se disloquera.

Cela suppose une véritable décision politique qui doit être prise dans les deux ans. Le socle de ce cœur d'Europe sera le rapprochement de ces pays autour d'un budget commun de la zone euro et d'une capacité d'investissement qui, elle, pourrait être mise en œuvre rapidement. Les deux années qui s'ouvrent sont décisives pour l'Europe et la zone euro. Si ces décisions ne sont pas prises, il est peu probable que l'Europe dure longtemps, tant elle est aujourd'hui tiraillée entre les intérêts divergents et fragilisée par les nationalismes. À l'issue de ces deux années, il y aura un rendez-vous avec le peuple français. Car si nous avons échoué, il sera indispensable d'en tirer toutes les conséquences pour nous et nos partenaires. Ce combat pour l'Europe est l'un des plus essentiels pour le prochain président. Il est la condition de notre souveraineté. Et pour y parvenir nous devons convaincre aujourd'hui nos partenaires européens. C'est cela que je conduirai, de manière très étroite avec l'Allemagne et l'Italie, notamment.

L'Union européenne demeure quant à elle pleinement pertinente. Elle sera, avec ses vingt-sept membres, ce cercle plus large mais qui demeure un espace politique et économique, celui du marché unique et des grandes régulations. Celui de la politique de concurrence, de la politique commerciale face aux autres grandes puissances, celui du numérique et de l'énergie qui pourra imposer sa propre régulation.

Si nous voulons avancer sur les sujets de défense et de sécurité, nous devons progresser plus nettement au niveau de la zone Schengen et nous montrer plus ambitieux dans la mise en œuvre des gardes-frontières et gardes-côtes, dont la création vient d'être décidée. Nous devons décider en commun de notre politique aux frontières communes, avoir une politique ambitieuse de coopération en matière de renseignement et d'asile.

L'Union européenne doit donc continuer à avancer dans sa capacité à réguler, protéger. Car elle a la taille critique. Ce n'est en rien incompatible avec la nécessaire convergence au sein de la zone euro.

Enfin, cette entreprise ne se fera que si nous remettons la démocratie au cœur de notre action. Ne laissons pas le monopole du peuple et des idées aux démagogues ou aux extrémistes. Ne faisons pas de l'Europe un syndic de gestion de crise, qui cherche chaque jour à allonger le règlement intérieur parce que les voisins ne se font plus confiance. Ne nous enfermons pas dans des dogmes qui nous empêchent de répondre aux aspirations légitimes de nos concitoyens.

Nous devons prendre le temps du débat et rétablir la confiance. C'est ce vaste débat que je propose de lancer l'an prochain, à un moment politique clé, celui des élections françaises, allemandes et néerlandaises.

Je propose le lancement, dans toute l'Union européenne, dès la fin des élections allemandes à l'automne 2017, de conventions démocratiques. Pendant six à dix mois, dans chaque État, selon des modalités ouvertes, laissant la place aux choix des gouvernements et des collectivités, serait organisé un débat européen sur le contenu de l'action de l'Union, sur les politiques qu'elle mène, sur les priorités qu'elle doit avoir.

En se nourrissant de ces débats, les gouvernements européens élaboreraient une feuille de route brève, avec quelques défis communs et des actions précises, traçant les priorités d'action de l'Union et leur calendrier de mise en œuvre pour les cinq ou dix années à venir. Chaque État ferait ensuite valider politiquement ce « projet pour l'Europe » selon sa tradition démocratique. Pour les pays qui organiseront un référendum, une campagne coordonnée doit être organisée, pour créer un débat démocratique à l'échelle européenne.

L'Europe serait ainsi relégitimée. Le débat démocratique serait ravivé. Les peuples ne seraient pas tenus à l'écart. Mais en décidant, dès le début, que nos procédures seront revues, comme Mario Monti et Sylvie Goulard l'ont proposé pour réussir : lorsqu'un État membre votera contre un nouveau projet, il ne pourra pas bloquer les autres dans son avancée. Il ne s'y joindra tout simplement pas pour

ce qui le concerne. Certes, l'Europe sera plus différenciée ; elle l'est déjà. Mais elle le sera en « marche
avant » plutôt que par reculs successifs.

Cette refondation ne se fera pas en un jour. Elle
prendra des années. Il faut retrouver le sens du
temps long et tracer une vision. Mais quand les
choses demandent du temps, il est plus urgent
encore de les entreprendre.

Chapitre XVI

Rendre le pouvoir
à ceux qui font

Un désir profond de politique et d'engagement citoyen anime depuis longtemps notre pays. Pourtant, une fatigue démocratique s'est installée, qui ne supporte plus ce qu'il est convenu d'appeler le « système », l'inefficacité de l'action publique, la prise en otage de notre destinée par quelques-uns. Cela n'est pas propre à la France. Nombre de démocraties en particulier occidentales, vivent cela. La peur du déclassement, l'effroi devant un monde qui s'effondre, la fascination pour les extrêmes ou les démagogues, se nourrissent de ce ressentiment.

Dans ce contexte on m'opposera deux arguments : vous êtes du système, quelle leçon allez-vous nous donner ? Pourquoi réussiriez-vous à agir et à transformer le pays là où tant d'autres ont échoué ?

J'aurai deux réponses tout aussi directes : je suis le produit du système méritocratique français, j'y ai réussi, mais je n'ai jamais adhéré au système politique traditionnel. Si je pense réussir, c'est justement parce que je ne vais pas chercher à tout faire, je veux clairement exposer un dessein, vous en convaincre. Ce que je ferai, je le ferai avec vous.

Ce qui alimente la colère ou le rejet de nos concitoyens, c'est la certitude que le pouvoir est aux mains de dirigeants qui ne leur ressemblent plus, ne les comprennent plus, ne s'occupent plus d'eux. Tout notre malheur vient de là.

De ce fait, nombre de personnalités politiques se persuadent qu'il nous faut de nouvelles règles, de nouvelles lois, et pour certains, une nouvelle Constitution. Pourtant notre pays a pu avancer, il y a longtemps, avec cette même Constitution, et sans que la colère gronde.

L'essentiel est, avant tout, le bois dont les hommes sont faits. Lorsque les responsables politiques et les hauts fonctionnaires de ce pays avaient pris le maquis pendant la Seconde Guerre mondiale, ou passé plusieurs mois à la tête d'unités de blindés, ils ne se comportaient pas de la même manière. Mais il est évident que la morale publique, le sens de l'Histoire, la qualité humaine des dirigeants ne sont plus les mêmes qu'autrefois, et nos concitoyens le ressentent.

Dans sa conférence de presse du 31 janvier 1964, le général de Gaulle disait, dans une formule restée célèbre, qu'une Constitution, « *c'est un esprit, des institutions, une pratique».* L'esprit des institutions de la Ve République ajoutait-il, procédait de la nécessité *« d'assurer aux pouvoirs publics l'efficacité, la stabilité et la responsabilité ».* Ce sont des objectifs que je souhaite reprendre à mon compte et qui sont aujourd'hui admis comme des atouts historiques pour notre pays.

Ma conviction est que les Français sont lassés des promesses qu'on leur fait régulièrement de réviser les institutions, soit pour «les ajuster», soit pour «les adapter aux nécessités du temps», soit encore pour constituer une «VIe République». Je ne crois pas que les Français fassent de cette réécriture une priorité. Ce n'est pas cela qui apportera des réponses concrètes à leurs problèmes. Je ne nie pas que sur certains sujets – comme la durée du mandat présidentiel, la réduction du nombre de parlementaires ou la réforme de telle ou telle assemblée –, une révision de nos institutions puisse s'avérer utile, mais je pense d'une façon générale qu'on ne doit réformer le cœur de nos institutions ou s'approcher de la loi fondamentale que la main tremblante. Nous le ferons en temps voulu.

C'est dans la pratique, à mon avis, que réside l'essentiel des changements à opérer. Modifier les conditions de la représentativité, faire évoluer les modes de scrutin lorsque c'est souhaitable, prendre des dispositions permettant de lutter efficacement contre le bavardage législatif et l'instabilité des règles, voilà le type de mesures qui permettra à la politique de se décentrer d'elle-même, et de servir un peu plus, un peu mieux, la France et les Français.

L'enjeu est de savoir comment notre pays peut se doter de dirigeants publics qui puissent le représenter davantage, et qui soient à la hauteur du moment. Les Français, à juste titre, considèrent que leurs représentants ne leur ressemblent pas. Un quart seulement des parlementaires, et ce malgré la loi sur la parité, sont des femmes. Trente-trois sont avocats et cinquante-quatre sont des cadres de la fonction publique. Leur poids à l'Assemblée est démesuré par rapport à leur poids dans la société. À l'inverse, une seule parlementaire est issue de l'artisanat, alors que les artisans sont plus de trois millions dans notre pays, et tout juste une douzaine à peine de parlementaires sont issus de la diversité.

Il ne s'agit pas de comptabiliser les parlementaires selon la couleur de leur peau ou l'origine de leur nom. Mais comment ne pas être frappé par la différence qui s'est accentuée entre le visage de la France et celui de ses représentants? Introduire davantage de proportionnelle, sans nuire à l'efficacité de notre système démocratique, est d'évidence une solution. Bien sûr, je mesure les conséquences d'un tel changement: davantage d'élus du Front national entreraient sans doute au Parlement. Mais comment peut-on justifier que presque 30 % des électeurs déclarent voter pour ce parti et que le Front national n'ait que très peu de représentants? Ce qu'il faut, c'est combattre ses idées plutôt que de l'empêcher d'être représenté.

Nous prendrons garde cependant à ne pas passer d'un défaut à un autre. D'abord je crois profondément que les Français se soucient moins de représentation que d'action. Ils demandent aux hommes politiques d'être efficaces, voilà tout. C'est à nous de les convaincre que le renouvellement du monde politique y aidera. Et c'est aussi pour cela que nous devrons veiller à ce que toute réforme du mode de scrutin n'affaiblisse pas notre efficacité, favorise un vrai renouvellement et non les acteurs dévoués aux partis et aux structures.

Pour renouveler la classe politique, le non-cumul des mandats est aussi une voie. On le sait, dès 2017, la loi actuelle interdira de cumuler une fonction de député ou de sénateur et un mandat exécutif local. C'est une bonne chose, même si à mes yeux le non-cumul des indemnités eut été suffisant et que la question de permettre une représentation des territoires au Sénat doit être posée. Mais cela ne permet pas d'encourager suffisamment le renouvellement. C'est pourquoi je suis favorable au non-cumul des mandats de parlementaires dans le temps. Le but n'est pas de sanctionner les élus qui ont de l'expérience : car la politique, comme tout le reste, nécessite un savoir-faire et des compétences. Toutefois, quand la politique n'est plus une mission mais une profession, les responsables politiques ne sont plus des engagés mais des intéressés.

Pour que la politique serve de nouveau les Français, je crois plus à l'engagement qu'aux interdits.

L'enjeu est moins d'empêcher les élus de le rester que d'encourager de nouvelles personnes à se lancer, en particulier ceux qui ne sont ni fonctionnaires, ni collaborateurs d'élus ou salariés d'un parti, ni professionnels libéraux. Et c'est pourquoi, il faut surtout s'occuper de ce qu'il se passe avant d'être élu, et travailler directement avec les représentants des salariés et des employeurs pour accompagner ceux qui prennent des risques, ceux qui font campagne, ceux qui veulent s'engager pour notre pays !

Plusieurs entreprises ont mis en place des organisations qui permettent à leurs salariés d'aller se présenter aux élections – Michelin par exemple – et, s'ils sont élus, de pouvoir retrouver leur poste à la fin du mandat avec le même avancement que s'ils étaient restés dans l'entreprise.

Il faut aussi accompagner les élus qui quittent leur fonction : si tant d'élus veulent rester en place, c'est parce que, bien souvent, ils ne savent pas quoi faire après. Des dispositifs devraient être mis en place pour les aider à se reconvertir. Notre société le leur doit, car eux-mêmes ont passé du temps à se battre pour elle.

Dans le même temps, il faut revivifier nos appareils sclérosés. Ce point-là est un angle mort du débat démocratique. De nos jours, les partis ont renoncé à leurs missions d'intérêt général. Ils se sont concentrés sur leur intérêt particulier, qui est de subsister coûte que coûte. Cette dérive n'est pas de gauche ou de droite, car elle est aussi bien à gauche qu'à droite ; elle n'est pas démagogue ou républicaine, car elle est aussi bien représentée aux extrêmes qu'au sein des partis républicains. Elle nourrit la cooptation, les petits arrangements, et transforme des gens qui s'engagent en *apparatchiks*.

Si les partis ne se transforment pas, la représentativité au Parlement ne servira à rien : nous ne ferons que remplacer des *apparatchiks* par d'autres *apparatchiks*. Or la clef, c'est justement de faire en sorte que la société s'empare de la politique ! Pour revivifier les partis, il faut qu'ils retrouvent leur raison d'être : former, réfléchir et proposer. Former, pour faire émerger de nouveaux talents, par exemple en créant des académies accompagnant les jeunes qui veulent apprendre à s'exprimer en public, à faire de la politique. Le mouvement que nous avons lancé, *En Marche !*, doit, à ce titre, donner l'exemple. C'est pour cela que j'ai tenu à ce que des femmes et des hommes venant de la société civile puissent acquérir des responsabilités. Ils sont largement majoritaires dans nos rangs ; plus de 60 % de nos délégués nationaux et de nos référents territoriaux ne sont pas élus et ne l'ont jamais été. Nous veillerons aussi à limiter dans le temps les responsabilités au sein de ce nouveau mouvement.

Cette meilleure représentation est tout aussi essentielle dans le monde syndical. Nous n'aurons un syndicalisme fort, lequel est indispensable, que si nous l'encourageons par la mise à disposition des ressources humaines, en fonction des préférences

des salariés ; que si nous lui donnons plus de responsabilité réelle dans les branches et les entreprises, que si les syndicats eux-mêmes savent se
renouveler. Cela veut dire construire des carrières
où les représentants nationaux ne sont pas des
cumulards de mandats qui les éloignent du quotidien des salariés mais où, là aussi, l'engagement est
pris en compte et avec une durée déterminée.

Il n'est pas question de tomber dans un discours
de stigmatisation des élus, politiques et syndicaux.
Ce qui n'est pas acceptable, c'est lorsqu'une caste se
constitue, repliée sur elle et qui impose ses propres
règles. Et cela est bien plus le fait des partis et des
structures que des élus eux-mêmes. Songeons que
lorsque nous parlons des élus, nous visons aussi les
375 000 Français qui œuvrent bénévolement dans
les 36 500 conseils municipaux. Et n'oublions pas
que les représentants syndicaux ne comptent ni leur
temps ni leur dévouement.

La haute fonction publique ne doit pas non plus
être exempte d'une plus grande exigence. Si les hauts
fonctionnaires se sont constitués en caste et donnent
le sentiment de diriger dans l'ombre les affaires du
pays, ils sont sélectionnés par un concours et ne font
pas l'objet d'une cooptation de complaisance comme
nombre de cadres de partis. Dans les postes de com-
mandement, et il y en a près de 300, ils sont nommés
chaque mercredi en conseil des ministres. Je suis
à cet égard favorable à ce que nous maintenions le

concours, celui de l'ENA, comme les autres. Car c'est une sélection sur le mérite. Sans doute peut-on améliorer les études et la nature des épreuves mais ce n'est pas là le sujet d'une élection présidentielle.

En revanche, nous devons moderniser cette haute fonction publique de deux façons. D'abord en ouvrant bien davantage les postes de direction à des non-fonctionnaires. Mais cela exige que l'État sache être un employeur qui attire les talents, ce qui n'est aujourd'hui pas le cas : il les paye mal et il est bien souvent ingrat, les dirigeants politiques utilisant plus souvent cette voie pour le « copinage » que pour le recrutement de profils d'exception. Ensuite, il n'est plus acceptable que les hauts fonctionnaires continuent à jouir de protections hors du temps. L'appartenance à un corps, le droit au retour, sont des protections qui ne correspondent plus, ni à l'époque ni aux pratiques dans le reste de la société. Lorsqu'on appartient à l'encadrement supérieur de l'État il est normal d'être protégé, c'est le gage de la neutralité et de l'indépendance. Mais celle-ci doit aller avec un risque, une évaluation plus rigoureuse et, surtout, elle ne doit pas être une protection acquise pour toujours. Cela doit être attaché à une fonction et non à un corps administratif qui protège toute la vie durant.

C'est d'ailleurs pour cela que j'ai décidé de démissionner de la fonction publique en me présentant à l'élection présidentielle. Non que je considère que tout fonctionnaire doive démissionner pour être candidat. Mais je souhaite être cohérent avec le discours de prise de risque et de responsabilité que je porte pour le reste de la société.

La responsabilité est précisément ce qui, me semble-t-il, peut contribuer à restaurer un peu de cette morale collective dont nous avons tant besoin.

La responsabilité, c'est d'abord celle du Gouvernement devant le peuple, c'est-à-dire devant le Parlement. Actuellement, notre système rend possible l'irresponsabilité. Les exemples sont nombreux. Sur l'intervention militaire en Libye, par exemple, les Britanniques ont mis en place une commission d'enquête pour déterminer si, oui ou non, les dirigeants britanniques ont eu raison de lancer cette intervention franco-britannique, malgré les conséquences géopolitiques qu'elle a entraînées : l'avons-nous fait et avec un niveau d'exigence satisfaisant ? Tout événement ayant un impact d'ampleur sur notre sécurité nationale devrait pouvoir entraîner naturellement la constitution de commissions d'enquêtes parlementaires.

En parallèle, doit être favorisée la responsabilité des ministres. Ce qui importe, c'est de vérifier, en transparence, la probité et l'intégrité de celle ou celui qui est nommé ministre. C'est pourquoi il faudrait subordonner l'accès aux fonctions ministérielles à l'absence d'inscription au casier judiciaire B2, comme c'est déjà le cas pour la fonction publique. Et c'est d'ailleurs ce que nous avons fait pour les postes à responsabilités au sein d'*En Marche!*. Il faudrait également examiner l'expertise ou le potentiel d'une personne nommée dans le cadre d'une audition par les commissions compétentes du Parlement. Un ministre, sitôt nommé, doit s'imposer à une administration, à des interlocuteurs, à un secteur d'activité.

L'ultime responsabilité, enfin, est politique. Elle exige une révolution de pratiques devenues inadaptées. Nul ne quitte, par exemple, le champ politique, même après les défaites ou après les sanctions démocratiques. La responsabilité politique, c'est aussi accepter de jouer les règles du jeu et avoir la dignité d'en tirer les conséquences quand on s'est égaré. Peut-on imaginer sérieusement présider aux destinées du pays, ou même simplement se présenter aux suffrages des Français, alors que sa probité personnelle a été mise en cause? Je ne le pense pas. Mais sur cette question, il faut être précis. Nous pouvons tous commettre des erreurs dans la vie. C'est humain. Nous avons tous le droit de nous racheter des fautes que nous avons pu commettre dans le passé. C'est justice. Mais lorsqu'on est responsable politique, qu'on se propose d'accéder aux plus hautes fonctions électives et de représenter le pays, je crois que toutes les fautes ne se valent pas. Il en est certaines qui vous disqualifient radicalement lorsqu'il s'agit, par exemple, d'«atteintes à l'administration publique», «d'atteintes à l'autorité de l'État» ou de financement politique. Dans de tels cas, il faut avoir la décence de s'effacer. C'est en tout cas ma conception de l'engagement et de la responsabilité politique. Car avant de demander qu'on vous confie des responsabilités, il faut d'abord savoir prendre les siennes.

Alors pourquoi serions-nous plus efficaces ? Pourquoi devrions-nous y arriver là où tant d'autres ont échoué ?

Je ne crois pas d'abord qu'il y ait une fatalité à l'échec. Si nous voulons que la politique serve de nouveau les Français, il faut s'atteler à la rendre efficace.

Aujourd'hui, les Français ont l'impression que leur Gouvernement ne gouverne plus : l'Europe, les partis, les marchés, les sondages, la rue, il existe une confusion sur le détenteur du pouvoir. Il faut donc que le Gouvernement se réapproprie l'action, en l'expliquant. Car l'expliquer, c'est ce qui permet à la société de l'accepter. Quand il n'y a pas de clarté des gouvernements, le peuple se cabre. Pourquoi les réformes de 1995 ont-elles été bloquées par la société ? Parce que ni le président de la République, dans son programme, ni le Premier ministre, dans l'exercice de son pouvoir, n'avaient pris la peine d'expliquer. Pourquoi la loi Travail a-t-elle suscité autant d'indignations ? Pour la même raison : parce que ni le président de la République, ni le Premier ministre, n'avaient pris le temps de la clarté. Il faut savoir communiquer, expliquer, plutôt que faire de la communication. Or aujourd'hui, les gouvernements du tweet ou de la dépêche se substituent aux gouvernements de l'explication et du temps long. Il faut donc faire émerger les conditions qui permettent au Gouvernement de communiquer avec clarté. Et il faut dire, aussi, pour gouverner clairement, ce sur quoi on n'a pas prise. Il faut dire ce sur quoi on n'a pas les moyens d'agir. Elle est là, l'exigence de clarté.

Être efficace, c'est en finir avec le bavardage législatif. Avec la surtransposition des textes communautaires. Avec les lois de circonstance. Ce vieux réflexe français, qui consiste à faire de tout sujet une affaire de règle ou de droit, est devenu insupportable. Plus de cinquante réformes du marché du travail se sont succédées en quinze ans! Et, pendant ce temps, le chômage n'a cessé d'augmenter. C'est bien la preuve que la loi n'est pas la panacée!

Avant de préparer une règle nouvelle, il faut commencer par une véritable évaluation des situations concernées. Plus généralement, il conviendra, en modifiant l'organisation, le recrutement et les méthodes de l'administration, d'en finir avec cette conception héritée du xixe siècle, qui fait de la rédaction d'un texte la finalité de l'action administrative. Le but de celle-ci doit être la réalisation d'un projet, non l'édiction d'une norme. Et ceci suppose une véritable «conversion» des acteurs publics. Les politiques publiques sont plus efficaces lorsqu'elles sont construites avec les concitoyens auxquels elles sont destinées. Il en est ainsi de la lutte contre la pauvreté, comme de la politique scolaire et de tant d'autres actions.

La discussion des textes, ensuite, devra être plus rapide. Car il est urgent de réconcilier le temps démocratique et le temps de la décision avec celui de la vie réelle et économique. Je l'ai vécu lors de l'examen de la loi pour la croissance et l'activité, où j'ai passé plusieurs centaines d'heures, d'abord en commission, puis en séance, à débattre des mêmes articles avec les mêmes personnes, une première fois, puis une deuxième, puis une troisième, puis une quatrième ! Aujourd'hui, on sait qu'il faut plus d'un an en moyenne pour voter une loi et, au moins autant, sauf exception, pour prendre les décrets d'application. Il faut donc revoir la procédure d'adoption des lois.

Dans le même temps, il faut accroître l'évaluation des politiques encore en œuvre et augmenter les contrôles de l'action publique. L'évaluation doit devenir systématique. Car aujourd'hui, combien de lois votées ne sont pas appliquées ? Et combien de lois appliquées ne remplissent pas leurs objectifs initiaux ? Chaque fois qu'un texte est voté, il devrait donc être obligatoire d'évaluer son efficacité, deux ans après son application. Chaque texte important devrait contenir une clause d'abrogation automatique en l'absence d'une évaluation probante.

Être efficace, enfin, c'est garantir la stabilité des lois et des textes que l'on prend. On ne peut pas, durant une même mandature, modifier la structure d'un impôt ou d'une politique publique chaque année ou chaque semestre. La procédure d'évaluation que je viens d'évoquer est un bon garde-fou mais elle ne suffit pas. Je souhaite que l'engagement soit pris de ne modifier un impôt ou de réformer une politique publique qu'une seule fois dans la durée du quinquennat. C'est un élément d'efficacité indispensable.

Tout ceci bien entendu va de pair avec une refonte de l'organisation de l'État. Là aussi il faut de la sobriété et de la stabilité. Peu de ministres et des périmètres stables. La loi, le règlement, la circulaire ministérielle doivent définir un cadre, mais l'autonomie sur le terrain est aujourd'hui indispensable. Au niveau de l'État, il s'agira de rendre le pouvoir à ceux qui connaissent le mieux les réalités et de faire confiance aux agents. Ils sont dans les hôpitaux, dans les lycées, dans les collèges, dans les commissariats, dans les prisons. Et il faut leur donner plus d'autonomie, parce que chacun d'eux est confronté à des problématiques spécifiques, qui ne peuvent pas être réglées par l'État central.

Une nouvelle étape de ce qu'on appelle la déconcentration est, à cet égard, nécessaire. Cela signifie transférer le pouvoir et des responsabilités de l'administration centrale vers l'administration de terrain – celle qui est en prise directe avec la population. Car sur le terrain, les responsables connaissent les solutions et sont bien souvent en capacité de trouver des accords pragmatiques avec les autres acteurs, là où les logiques des directions centrales et des ministères prennent plus de temps, sont plus rigides et éloignées des réalités locales.

La refonte de l'organisation de l'État suppose logiquement de revoir la manière de gérer l'administration et les fonctionnaires. Nous devons bâtir un système plus ouvert et plus mobile. Plus ouvert en facilitant les recrutements de profils diversifiés dans le secteur privé, et cela à toutes les étapes de la carrière, et à tous les étages de la fonction publique. Plus mobile afin de mieux répondre aux usagers pour que les fonctionnaires soient plus nombreux là où les besoins sont les plus importants, et d'offrir des opportunités de carrière nouvelles aux fonctionnaires.

On le voit, l'actuel statut de la fonction publique ne répond plus aux attentes de nos concitoyens et aux réalités de l'État, de l'hôpital et des collectivités locales. Ce n'est pas la faute des fonctionnaires et je veux ici rappeler leur dévouement et leur sens du service. Mais nous devons pour eux et pour les Français regarder en face nos propres insuffisances actuelles.

J'ai conscience que cette refonte de l'organisation de l'État viendra heurter des habitudes mais cette révolution est essentielle pour gagner en efficacité et libérer les initiatives des fonctionnaires.

Plus largement, je crois dans un nouveau partage démocratique. Je crois que nous pouvons réussir justement en faisant confiance et en donnant plus de pouvoir à ceux qui font. Ce nouveau partage démocratique doit donner les moyens d'agir à tous ceux qui sont le mieux placés pour le faire.

C'est le fondement de la République contractuelle dont nous avons besoin, de la République qui fait confiance aux territoires, à la société et aux acteurs pour se transformer. Cela implique une discipline à laquelle nous ne sommes pas accoutumés : donner plus d'autonomie à ceux qui sont chargés d'agir ; oser l'expérimentation, pour voir ce qui fonctionne, ce qui vaut la peine d'être mis en place, ce qu'il est urgent de retirer ; regarder tout ce que la société fait mieux que l'État et lui en confier la responsabilité.

L'idée que je me fais de la démocratie, ce ne sont pas des citoyens passifs qui délèguent à leurs responsables politiques la gestion de la nation. Une démocratie saine et moderne, c'est un régime composé de citoyens actifs, qui prennent leur part dans la transformation du pays.

L'État a évidemment toujours vocation à jouer un rôle central. Ce rôle devra même être renforcé car dans de nombreux domaines, il faut plus d'État. Pour l'exercice des missions régaliennes, l'État doit pouvoir disposer de l'ensemble des moyens nécessaires. Pour la protection contre les grands risques de la vie, il faut aussi que l'État reprenne la main. Pour assurer un bon fonctionnement de notre économie, il doit demeurer le garant de l'ordre public économique.

Les collectivités locales et leurs élus doivent jouer un rôle accru. Disposer de compétences et de libertés au plus près du terrain. C'est une nouvelle étape de transfert des pouvoirs vers ces collectivités que nous devons décider durant les prochaines années. Cette décentralisation devra s'accompagner d'un grand pragmatisme qui a parfois manqué.

Les partenaires sociaux doivent disposer d'une responsabilité accrue pour pouvoir définir les conditions de travail au niveau des branches et des entreprises.

Les associations doivent prendre une place plus importante, comme elles le font déjà, dans des domaines comme la santé, l'éducation, l'action sociale, l'intégration...

Les citoyens eux-mêmes doivent désormais être considérés davantage comme des acteurs des politiques publiques que comme des administrés. Ma volonté est de définir l'espace des responsabilités de chacun, mais de rendre le pouvoir à ceux qui font.

Nous avons une chance formidable : les Français ne veulent pas subir. Ils veulent s'engager. Ils s'engagent déjà, et de plus en plus ! Il faut donc mieux les considérer, mieux les accompagner. Car ce sont eux, nos héros d'aujourd'hui et de chaque jour.

Ils sont nos héros, parce que des actions essentielles sont portées par nombre d'entre eux. Ceux qui s'engagent de façon bienveillante, désintéressée et pour les autres. Qu'ils militent, qu'ils exercent un mandat ou qu'ils soient bénévoles dans une ONG, nombreux sont ceux qui prennent du temps sur leur vie de famille, sur leurs soirées. Les millions de Français qui s'impliquent dans nos associations, les 200 000 sapeurs-pompiers volontaires qui s'engagent pour assurer notre sécurité civile... La volonté de servir est là, partout sur le territoire. Dans les entreprises, dans les associations, dans les ONG, dans les syndicats, dans les collectivités territoriales, partout. La puissance publique doit continuer de les soutenir pour faire fructifier cette énergie. Elle doit les accompagner, leur donner plus de souplesse, leur faire confiance. Cet engagement, partout, est le dernier maillon de la chaîne de l'action. C'est ce qui tient notre pays. C'est ce qui garantit notre unité, notre cohésion. C'est ce qui conditionne l'efficacité, sur le terrain, de notre action collective. C'est ce qui fait que la solidarité, l'égalité, la liberté, ne sont pas de vains mots. Les Français ont la passion de leur pays et des autres : ils veulent servir plutôt que subir ! Donnons-leur les moyens de le faire.

J'ai la conviction farouche que nous pouvons oser l'avenir, et façonner de nos mains notre destin. Qu'il suffit pour cela de nous réconcilier avec nous-mêmes. Toutes les pages qui précèdent en sont, je l'espère, la démonstration. C'est cette même conviction qui m'a conduit à écrire.

À l'origine de cette aventure se trouvent des femmes et des hommes qui veulent avant tout faire avancer le progrès. Tous avec moi sont convaincus que pour y parvenir nous devons faire confiance à nos concitoyens et ne jamais perdre de vue la réalité.

J'aime la simplicité désintéressée de ces Français qui, pour beaucoup, n'avaient jamais connu d'engagement politique et qui décident, chaque jour, de participer avec nous à cette initiative inédite. J'admire aussi la facilité avec laquelle des femmes et des hommes, de tous horizons, réussissent, de manière éclatante, à dépasser les clivages du passé pour se retrouver dans un même projet.

Ils renouent avec ce que la politique a de plus noble : transformer le réel, déployer l'action, restituer le pouvoir à ceux qui font.

Chacun d'entre nous est le fruit de son histoire, de l'instruction de ses maîtres, de la confiance de ses proches, des échecs surmontés. À l'heure où j'écris ces lignes, je me souviens de ceux qui m'ont fait grandir et m'ont donné le goût d'agir, de servir. Je sais ma dette à leur endroit et la détermination qu'elle inscrit en moi. Ceux qui m'ont accompagné et ne sont plus là reconnaîtraient-ils notre monde ? Il a si profondément changé. Parfois, il nous inquiète.

Et pourtant, je suis convaincu que le XXIe siècle, dans lequel nous entrons, est un siècle de promesses..

C'est cette volonté optimiste qui, depuis toujours, me porte à servir mon pays.

Les révolutions numérique, écologique, technologique, industrielle qui se profilent, sont considérables. La France doit y prendre sa part. Elle ne doit pas laisser l'écart se creuser avec les États-Unis ou, plus encore, avec la Chine, ce pays-continent qui démontre, chaque jour un peu plus, sa puissance.

Nous n'y parviendrons qu'à deux conditions. Relancer l'Europe, notre chance dans la mondialisation, et retrouver la confiance en nous-mêmes, l'énergie qui nous manque depuis tant d'années, mais que je sais présente dans le peuple français.

Pour cela, chacun en France, doit, de nouveau, avoir sa place.

Pour mener ce combat, la responsabilité du président de la République est immense. J'en suis pleinement conscient. Un président n'est pas seulement investi d'une action. Il porte aussi, de manière moins visible, tout ce qui dans l'État transcende la politique. Les valeurs de notre pays, la continuité de son Histoire, et, de manière cachée, la vigueur et la dignité d'une vie publique.

J'y suis prêt.

Car je crois, plus que tout, que nous pouvons réussir. Bien sûr, on ne se réveille pas un matin avec cette révélation. Cette décision de se présenter aux plus hautes charges de la République est le fruit d'une conviction intime et profonde, d'un sens de l'Histoire. Je l'ai dit dans ce livre, j'ai vécu d'autres vies. Elles m'ont mené de la Province à Paris, de l'entreprise à la vie publique. Les responsabilités qui ont été les miennes, comme ministre, m'ont fait pleinement mesurer les défis de notre temps. Toutes ces vies m'ont conduit à cet instant.

Je veux que mon pays redresse la tête et, pour cela, retrouve le fil de notre Histoire millénaire : ce projet fou d'émancipation des personnes et de la société.

Ce dessein est le dessein français : tout faire pour rendre l'homme capable.

Je ne peux me résoudre à voir une France qui a peur et ne regarde que ses souvenirs, une France outrancière qui insulte et exclut, une France fatiguée qui stagne et qui gère.

Je veux une France libre et fière de ce qu'elle est. De son Histoire, de sa culture, de ses paysages. De ses mille sources qui convergent vers nos mers, de ses montagnes. De ses femmes et de ses hommes qui ont traversé tant d'épreuves et n'appartiennent à personne.

Je veux une France qui transmette sa culture, ses valeurs. Une France qui croit en sa chance, risque, espère, n'admet jamais la rente indue, le cynisme repu. Je veux une France efficace, juste, entreprenante, où chacun choisit sa vie et vit de son travail. Une France réconciliée qui considère les plus faibles et fait confiance aux Français.

Tout cela, me direz-vous, ce sont des rêves. Oui, les Français ont par le passé rêvé à peu près cela. Ils ont fait la Révolution. Certains même en avaient rêvé avant. Puis nous avons trahi ces rêves, par laisser-faire. Par oubli. Alors oui, ce sont des rêves. Ils réclament de la hauteur, de l'exigence. Ils imposent de l'engagement, notre engagement. C'est la révolution démocratique que nous devons réussir, pour réconcilier en France la liberté et le progrès. C'est notre vocation et je n'en connais pas de plus belle.

Table

Affronter la réalité du monde... 7

Chapitre I
Ce que je suis 11

Chapitre II
Ce que je crois 33

Chapitre III
Ce que nous sommes 43

Chapitre IV
La grande transformation 53

Chapitre V
La France que nous voulons 65

Chapitre VI
Investir dans notre avenir 75

Chapitre VII
Produire en France et sauver la planète 93

Chapitre VIII
Éduquer tous nos enfants..................................... 107

Chapitre IX
Pouvoir vivre de son travail.............................. 119

Chapitre X
Faire plus pour ceux qui ont moins.............. 135

Chapitre XI
Réconcilier les France....................................... 153

Chapitre XII
Vouloir la France... 169

Chapitre XIII
Protéger les Français... 183

Chapitre XIV
Maîtriser notre destin 197

Chapitre XV
Refonder l'Europe... 221

Chapitre XVI
Rendre le pouvoir à ceux qui font.............. 243

Chacun d'entre nous est le fruit de son histoire... ...263

FSC
www.fsc.org

MIXTE

Papier issu
de sources
responsables

FSC® C123930

Impression réalisée par CPI BUSSIÈRE
à Saint-Amand-Montrond (Cher), en novembre 2016

N° d'édition: 3358/01 - N° d'impression . 2025686
Dépôt légal : novembre 2016

Imprimé en France